Mā

DU MÊME AUTEUR

CHEZ LE MÊME ÉDITEUR

Un rêve de glace, roman.

La Cène, roman.

Julien Gracq, la forme d'une vie, essai.

Oholiba des songes, roman.

L'Âme de Buridan, récit.

Meurtre sur l'île des marins fidèles, roman.

Le Bleu du temps, roman.

La Condition magique, roman,
Grand Prix du roman de la SGDL 1998.

L'Univers, roman.

Du visage et autres abîmes, essai.

Petits sortilèges des amants, poèmes.

Le Ventriloque amoureux, roman.

Le Nouveau Magasin d'écriture, essai.

Le Nouveau Nouveau Magasin d'écriture, essai.

Palestine, roman,
Prix des cinq continents de la Francophonie 2008 ;
Prix Renaudot Poche 2009.

Géométrie d'un rêve, roman.

Vent printanier, nouvelles.

Nouvelles du jour et de la nuit, nouvelles.

Opium Poppy, roman.

Le Peintre d'éventail, roman,
Prix Louis Guilloux 2013 ; Grand Prix SGDL
de littérature 2013 pour l'ensemble de l'œuvre.

Les Haïkus du peintre d'éventail.

Théorie de la vilaine petite fille, roman.

Corps désirable, roman.

HUBERT HADDAD

MĀ

間

Roman

ZULMA
18, rue du Dragon
Paris VIe

Si vous désirez en savoir davantage sur Zulma ou sur *Mā*
n'hésitez pas à nous écrire
ou à consulter notre site.
www.zulma.fr

Z

C'est ainsi, il pleut
je suis trempé
je marche

TANEDA SANTŌKA

La marche à pied mène au paradis ; il n'y a pas d'autre moyen d'y parvenir, mais il faut marcher longtemps. Avant d'en connaître l'épreuve, je fréquentais assidûment un des bars lilliputiens de la plus étroite des ruelles de Golden Gai, dans la zone est de Tokyo, à proximité de Kabukicho ; les touristes occidentaux, en file indienne sur les chaussées, aiment y retrouver l'ambiance des vieux films de l'après-guerre, au temps de l'occupation américaine. La pègre voisine n'encombre qu'incidemment les Six Ruelles, même si les filles et les noceurs de Kabukicho s'y égarent à l'occasion. Carré de baraques joliment décorées en plein cœur de Shinjuku, Golden Gai est un bout de quartier plutôt tranquille fréquenté par les ronds-de-cuir et les représentants de commerce solitaires habitués des hôtels capsules, quelques cérébraux, des originaux mélancoliques, poètes et barbouilleurs, toute cette bohème noctambule des comptoirs.

C'est au Café Crépuscule que j'ai rencontré Saori, voilà quinze ans, sept mois et trois jours.

Alors étudiant en premier cycle au département des Sciences de la Terre et des planètes de l'université de Todai, j'avais vingt ans et servais la clientèle du week-end au profit de M. Bō, le patron de l'établissement, lequel pouvait ainsi partager du bon temps avec quelques vieux habitués, amateurs de bière et d'histoires scabreuses. Luimême veuf, M. Bō portait une sorte de dévotion à ma mère. À cette époque, nous demeurions elle et moi à Arakawa, un quartier de l'ancienne ville autrefois misérable. C'est là qu'elle s'était réfugiée, à proximité de la gare de Nippori, peu après le départ de mon père pour Chicago. J'avais à peine trois ans lorsqu'il disparut de ma vie, mais le souvenir de ce géant décoloré comme un cheval cremello jamais ne me quittera. Je ne sais pourquoi, ma mère s'est interdit d'évoquer devant moi l'Américain, hormis quelques mots à propos de leur séparation au milieu des années soixante-dix. Par insigne pudeur ou blessure inavouable, elle ne m'en dira guère plus d'ailleurs sur mon grand-père ou les autres hommes de sa vie.

Au Café Crépuscule, il n'y avait que les étrangers pour commander un café ; on y sirotait toutes sortes d'alcools et du thé noir après le dernier verre. M. Bō était un ancien brasseur de saké ruiné par l'incurie de ses associés. Lui ne buvait qu'avec ses clients, par conscience professionnelle. Même ivre avant minuit, il gardait les idées claires et ne laissait personne se glisser derrière son comptoir. Il n'y avait pas foule dans l'étroite taverne. À la vingtaine de clients réguliers, surtout des hommes seuls – transitoire famille de délaissés, bien aise à l'occasion de jouer aux cartes, au trictrac ou au mahjong –, s'ajoutaient les visiteurs fortuits, des négociants en tournée à Tokyo, d'anciens habitués parfois escortés d'inconnus, voire des touristes attirés par la couleur locale mais qui ressortaient de là aussi mécontents de l'accueil que de l'addition.

C'était un soir d'avril particulièrement doux ; accoudé sur une table à l'angle de la cuisine, sa grosse tête chauve dodelinant, le patron du bar entamait une partie de go avec un officier de police presque noir de peau, natif de l'île de Kyushu. Deux autres clients oscillaient du chef sur leurs hauts tabourets en contemplant les reflets froids ou dorés des collections de bouteilles de saké, gin, vermouth, vodka et whisky alignées sur l'étagère. Les clochettes de la porte cliquetèrent à ce moment et un couple distingué, en âge d'avoir de grands enfants, se présenta à nous, visiblement d'une autre espèce que les piliers ordinaires en ces lieux. L'homme avait un physique avantageux, malgré les cheveux gris et cette cartographie de rides indéchiffrable aux jeunes gens. Une cicatrice sur la pommette et de fines moustaches lui donnaient un vague air de proxénète ou de danseur mondain. La beauté de sa compagne m'eût sans doute échappé si son regard n'avait croisé le mien un instant de trop. Il y a parfois une telle sensualité dans la maturité, surtout pour un garçon de bar à peine entré dans l'âge adulte. Plutôt grande, élancée, on remarquait tout de suite sa poitrine haute et la pulpe de ses lèvres soulignée au pinceau. Elle sortit un petit livre de son sac à main et lut quelques lignes avant de le refermer. Une étrange lumière animait son visage. Elle avait des yeux de chat intelligent, très relevés sur les tempes, des oreilles de poupée et une épaisse chevelure fixée sur l'occiput par un joli peigne de jade à motifs floraux. Distrait de son jeu, M. Bō s'était tourné vers les nouveaux venus et parut une seconde perplexe avant de s'incliner.

— Bonsoir, bonsoir à vous ! s'exclama-t-il. *Ogenki desu ka ?* Ah ! Mais il y a si longtemps...

J'apprendrai plus tard que Hayato Mori, gérant d'une célèbre boîte de nuit, avait été l'un des premiers clients du Café Crépuscule. Le couple alla tranquillement s'asseoir à une table discrète, près de la porte des toilettes. À l'abri du comptoir contre lequel somnolaient deux consommateurs enivrés d'un vin de riz chaud comme la peau humaine, j'étais le seul à pouvoir entendre la conversation et discerner les visages rapprochés dans la pénombre. Hayato Mori avait commandé une carafe du meilleur saké servi à température ambiante. À l'instant où je déposai le plateau, la femme eut ce même mouvement de tête vers moi. Ses paupières se soulevèrent et la pénétration de ses pupilles m'emplit soudain de confusion. Je dus rougir en vrai puceau car elle se détourna vite avec au coin des lèvres cette ombre de sourire qui trahit une pensée intime. Retourné à mes verres sales, j'enregistrais des bribes de conversation. Sans ces innombrables verres à laver, un garçon de bar pourrait écrire le roman des figurants de la vie, tous ces personnages très secondaires qui vont et viennent dans la ville obscure ; les histoires s'entrecroisent, tissant la banalité des jours : de maigres drames, des deuils attendus, aucune surprise en tout cas. Mais ce qui se racontait à ma gauche, près de la porte des toilettes, sortait de l'ordinaire. Le couple en instance de divorce faisait la tournée des estaminets avant de se séparer pour toujours. Tous deux avaient déjà beaucoup bu. Les gens instruits tiennent davantage l'alcool que les brutes, sans doute parce qu'ils savent tirer parti de leur ivresse. Au terme de quinze ans de vie commune, ces deux-là n'avaient rien trouvé de mieux que les ruelles de Golden Gai pour fêter leurs adieux. Saori – c'est ainsi que son époux des derniers jours l'appelait – essuya une larme avec un mouchoir en papier.

— Ne t'inquiète pas pour moi, disait-elle. J'ai

toujours aimé la solitude. Mais toi, ça m'étonnerait fort que tu tardes à me remplacer.

Les évocations d'usage en pareille situation ne manquèrent pas. Tout en vidant le fond d'un deuxième flacon de saké dans les tasses, Hayato Mori se mit à rire d'un épisode pourtant dramatique, quand, à l'issue d'une cure de sommeil prescrite à la suite d'une fausse couche, Saori lui avait demandé de l'emmener à Hofu, un village de la pointe sud-ouest de Honshu anciennement dénommé Sabare, au prétexte de voir les lieux où était né un certain Santōka, quelques pierres de sa maison d'enfance, un puits dans une broussaille, la côte rocheuse environnante. Qui donc était Santōka ? Ce sobriquet alors ne signifiait rien pour moi, mais comme son compagnon le répétait à loisir en s'esclaffant malgré le silence attristé de Saori, il s'inscrivit dans ma mémoire à la façon d'un mot de passe. Le beau visage pleurant de Saori s'y était par mystère associé, un peu comme la comptine que les enfants aiment à chanter sous la pluie et qui revient illico à l'esprit quand le macadam sonne d'une infinité de clochettes de verre. Bien que l'appellation de Santōka signifiât un « sommet brûlant », les larmes de cette femme semblaient en jaillir :

Oh oh, cette fille coule de source
Elle pleure sous le saule
Pitch pitch, chap chap, run run run !

J'étais fort embarrassé derrière mon comptoir. Il n'est pas dans les attributions d'un jeune barman de se mêler de la vie privée de sa clientèle. Lorsqu'une troisième carafe de saké me fut commandée, ayant pu constater que Saori était à court de mouchoirs, je saisis l'occasion et lui en offris un paquet intact avec assez de discrétion pour n'importuner personne : mon geste inviterait tout naturellement le tourmenteur aux bons usages.

Rassasiés de distractions, M. Bō et l'officier de police à la peau sombre s'étaient levés de table. En se rendant aux toilettes, mon patron ne put faire autrement que saluer à nouveau. S'ensuivit un court échange qui éclaira la nature de sa relation passée avec Hayato Mori. M. Bō avait envers lui une dette de reconnaissance qui remontait à la période de l'Occupation. Je compris assez vite que ce quidam bien mis à la fine moustache et aux doigts bagués d'or n'était pas pour rien dans le retour de fortune de l'ancien brasseur. M. Bō avait pu s'acquitter de ses dettes en quelques années grâce à son nouveau commerce. Quitte du prêteur, il pouvait lui manifester une franche cordialité. « Vous êtes mes invités », se crut-il en devoir d'ajouter sans une once d'ostentation.

Quand le couple fut parti, M. Bō plaisanta avec l'officier de police venu s'accouder au comptoir à côté d'un client si imbibé de saké que le moindre frôlement eût bien pu le flanquer par terre.

— J'ai appris que cet honorable monsieur, assez connu de nos services, voulait divorcer. Comment peut-on quitter la déesse Guanyin aux Nombreux Trésors ?

— Je dirais plutôt : la reine Guanyin des Six Heures de la Journée, corrigea le cafetier d'un air égrillard. C'est une dame vraiment belle dans sa grande sagesse.

Le fonctionnaire haussa les épaules.

— Dommage qu'elle n'ait pas de fille pour la relève !

— Bah ! Ces deux-là n'étaient pas du même monde, conclut gravement M. Bō.

Les jours de semaine qui suivirent, troublé par les exhalaisons des tilleuls en pleine floraison bordant la rue où nous logions, ma mère et moi, j'étais censé étudier les caractéristiques des volcans effusifs dans l'île de Hokkaido. Pour mon ultime examen de l'année, je devais en effet tout savoir de la formation des volcans gris déflagrateurs dans le manteau profond et des volcans boucliers à lave rouge ainsi que, pour ces derniers, des textures spécifiques que prennent les émissions de lave avant de refroidir complètement : fontaines liquoreuses, cônes de dégazage hornito, tunnels, cheveux de Pélé semblables à de la laine de roche, lacs et orgues basaltiques. Cependant j'avais la tête ailleurs ; le parfum des tilleuls et les criailleries des hirondelles m'étourdissaient à la pensée du monde. Existe-t-il plus grande torture à vingt ans qu'un désir sans réponse ? J'aurais pu étreindre les murs s'ils avaient voulu de moi. Avec mes lunettes de myope toutes rondes qui me faisaient des yeux de calmar géant et ma physionomie maigrelette de martyr du kōan, je n'avais guère d'illusion sur l'issue de mes aspirations légitimes à la réciprocité. Les étudiantes de ma section m'appréciaient assez pour mon excellente mémoire des noms savants en minéralogie et la drôlerie de mes mimiques ; mais je n'étais pas du tout leur genre. Aussi employais-je mes longues heures de relégation à bûcher ou à composer des tanka dans une chambre d'enfant. Ma mère m'avait défendu d'y modifier quoi que ce fût : rien ne devait bouger dans ce pauvre appartement encombré des bibelots et ustensiles de son ancienne vie. Elle ne s'intéressait pas vraiment à moi, plutôt à son passé de jeune mère et d'épouse. J'étais en somme une sorte de figurant de sa solitude au milieu d'un reliquaire à l'échelle du logis.

Ce mauvais rôle que l'étude des roches volcaniques et la lecture des poètes tempéraient, je l'oubliais allégrement les week-ends au Café Crépuscule. M. Bō n'attendait de moi qu'un peu de diligence dans le service pendant ces deux ou trois journées, au gré du calendrier, où je tenais le bar entre midi et minuit. Dès que l'on comptait plus de cinq personnes au comptoir, il prenait ma place pour alimenter la conversation tandis que j'allais passer l'éponge sur les quatre tables en alignement sur toute la longueur du bistrot, la cinquième étant coincée entre la porte des toilettes et l'angle du zinc.

Mai commence avec les fêtes dans les fleurs et les rires, aussi avions-nous eu du monde. Ce soir-là était l'ultime du *Golden Week.* Vers vingt-deux heures, comme il arrive aux veilles de reprise du travail, les habitués grisés de saké à l'iris avaient déserté le bar ; quelques égarés et des provinciaux poussaient encore la porte. C'est alors qu'elle apparut, seule ; son immense visage rayonnait comme une lune passante. Elle m'effleura du regard après un bref salut au patron, s'assit aussitôt à la première table, puis enserra entre ses fins doigts le bouquet d'armoise plongé dans un petit vase en porcelaine de Satsuma. Un peu surpris, M. Bō mima l'indifférence polie qu'on attendait de lui en toute circonstance. Dans ce genre d'établissement qu'évitaient d'ordinaire les femmes seules, il suffisait d'être déjà venue accompagnée une ou deux fois pour se voir ensuite accueillie sans réserve.

— Un café bien noir, murmura-t-elle alors que je m'inclinais pour la commande.

Puis, d'une voix de confidence :

— L'avez vous revu ? L'homme avec qui j'étais l'autre soir, est-il revenu ces derniers jours ?

Je dus bafouiller trois mots de dénégation, mes yeux de myope vrillés sur la pivoine écarlate de ses lèvres. Jamais une femme si incroyablement femme n'avait posé sur moi un tel regard. Les jolies filles ne manquaient pas à l'université de Todai, et j'étais tombé plus d'une fois amoureux de mes professeurs féminins. Toute beauté n'est qu'un reflet d'Amaterasu, mais Saori, Saori tant languie et espérée chaque jour du mois d'avril, avait surgi si merveilleusement désarmée de mes rêves charnels les plus inhabituels.

— Vous me rappelez quelqu'un, dit-elle alors en riant, quelqu'un que j'aime de manière passionnelle. Pourtant je ne l'ai jamais rencontré, du moins dans cette vie... Et comment vous appelle-t-on, ici ?

— Shōichi, bredouillai-je.

Qu'ajouter sans mourir de honte ou de la pire des joies ? Enfui derrière le bar après avoir heurté deux chaises et l'angle du comptoir, je mis un temps fou pour confectionner le café. Les gens de sang-froid ne peuvent comprendre l'état de panique où me précipitait mon principal handicap. Il y a des timides lymphatiques comme des koalas, d'autres si nerveux qu'on les croirait jaillis sans désemparer d'une chaise électrique ; pour mon compte, en ce temps-là, dès qu'une femme me regardait plus d'une seconde, je fondais et brûlais d'une fièvre de volcan. Comment échapper à l'humiliation d'être percé à jour dans sa plus grande faiblesse ? Mon visage imitait ces sujets en céramique qui changent de couleur, du rose pâle au cramoisi, selon la météo. Un dicton prétend que la félicité appartient aux intrépides : je l'étais certes, en imagination. Depuis le soir où je l'avais vue en larmes, mon intimité avec Saori excédait toute pudeur : cette femme inconnue me rejoignait en songe, brassée de lys écrasés au matin dans mes draps. J'étais rompu de désir pour elle à cause d'un regard.

Quand enfin je lui apportai son café, Saori scruta mes mains avec intensité, sans doute pour éviter mes yeux, mais son sourire me dévisageait si narquoisement que ma rougeur illico décupla.

— Shōichi... murmura-t-elle, quelle amusante coïncidence.

Qui donc pouvais-je lui rappeler, au fait ? M. Bō rompit mon embarras en me sommant de regagner le bar. Deux noceurs en fin de parcours venaient d'entrer sans un instant déranger mon état d'hébétude. Leur agitation de commis en goguette contrastait avec l'infinie placidité de la cliente assise. On eût dit des anguilles encore vives posées sur un gril. Les compères ne manquèrent pas de commander du saké chaud pour sortir d'une cascade de breuvages plus corsés. Une fois juchés sur les tabourets de bar, ils s'esclaffèrent en collégiens dissipés puis s'infligèrent des coups de poing dans les côtes en lorgnant les jambes de Saori. Je vis celle-ci décapuchonner un élégant stylo-plume pour tracer quelques signes au dos de la note de caisse. Après avoir déposé un billet de mille yens, elle quitta les lieux comme une chatte bondissante, si prestement que les deux ivrognes en furent tout déconfits.

Je m'empressais avec mon plateau et le torchon d'usage. Le billet de banque à l'effigie de Natsume Sōseki m'évoqua par association certaine de ses œuvres où il est question de chats foulant l'air d'un pas plus silencieux qu'un gong de pierre heurté au fond d'eaux noires. La note griffonnée au revers avait été abandonnée sur la table. Le cœur battant, je la recueillis ainsi que la tasse encore tiède marquée d'une précieuse empreinte de rouge carmin sur son bord intérieur.

Vingt ans valent à peine un bâillement de chat. Au réveil, voilà que je m'égare dans les replis du mont Yoshino, « en vérité au plus profond de la montagne », comme l'écrivit Bashō il y a trois bons siècles. Depuis l'impératrice Jitō, la pluie tombe continûment sur la neige exquise des cerisiers. Mais aujourd'hui on n'est plus si seul au secret des monts Kii. Les chemins de pèlerinage parcourent la péninsule de part en part ; des foules colorées sortent partout des brumes parmi les branches surchargées de fleurs blanches ou roses. Dans les temples reculés de jadis, les voyageurs pouvaient quitter les sentiers connus pour adopter sous leur plus bel angle tel ou tel des innombrables paysages. À l'époque de Heian et de Kamakura, le moine Saigyō aimait lui aussi parcourir en solitaire le mont Yoshino, et les cerisiers guidaient pareillement ses errances à la période des fleurs. Sur ses pas, défaillant, le grand Bashō y usa plus d'une fois ses sandales de paille. Moi-même à la traîne de ces deux rares ermites, l'ombre que je talonne dans ces vergers tortueux, toujours un peu titubante, est certes bien moins éloignée dans le temps. Puisque l'on se doit de respecter l'élastique chronologie des existences, il y eut tout d'abord Saigyō, le premier à mettre un pas devant l'autre, puis un fils de samouraï trop pacifique qui voulut suivre son exemple à cinq siècles de là. Et plus tard encore, dans l'imitation des maîtres excursionnistes qui vont en file indienne d'une ère à l'autre à travers ces très éphémères effloraisons, le pathétique Santōka – né Taneda Shōichi un 3 décembre 1882 –, celui que j'aurais pu appeler mon génie protecteur si les pluies infinies n'avaient décapé en moi toutes les crasses de la superstition.

C'est ainsi, il pleut
je suis trempé
je marche

Tout est dit, à peu près, de ce qu'il me reste à raconter, mais dans cet à-peu-près, il y a ma vie presque accomplie : à peine deux cents à trois cents millions de pas à ce jour. Je ne les ai pas comptés précisément. Mais voici des lustres que j'arpente les sentiers de pèlerinage, et pas seulement dans les sites sacrés des monts Kii. D'année en année, j'ai parcouru plusieurs fois les cinq îles en toute saison. Si je traverse aujourd'hui la contrée de Nara et ces fastueux reliefs, c'est en tenant la manche au hasard. Le fugitif de sa propre vie se soucie peu des motifs de l'impermanence. Il va, il vient, dans la neige des arbres ou du ciel, sans calcul des miracles ponctuels ; et la surprise n'en est fichtre pas moindre. Des hauteurs du mont Yoshino, sublime est le spectacle des milliers de cerisiers tout écumants sur la houle des pentes.

Les nuages ne pèsent plus sur le paysage. La pluie, tout à l'heure sonnante, a pris la consistance des embruns ; la mer ne se laisse pas oublier, où que l'on soit, comme sous la pointe filée d'une vague. Et les senteurs florales prennent un goût salé dans la gorge. Le soleil perce enfin la nappe de brume où chante une grive, où jacasse un couple de pies. Quel prodige de lumière étagée d'un site à l'autre, entre les temples et les sanctuaires ! Par un effort de l'esprit, j'évite d'y reconnaître un de ces lavis mémorables du Meisho-e : cette merveille qui s'offre à moi n'est pas aux encres, et personne ne la contemple de mon point de vue unique à ce moment précis. On croirait d'impondérables voilures nimbées de givre et diversement soulevées par le souffle des esprits. Toutes ces minuscules fleurs cachent la montagne comme les frisottis de fumée d'un volcan en éruption. Quel calme au creux des espaces soudain illuminés ! Oubliant sa condition de gobe-mouches, un promeneur misanthrope regretterait presque qu'il existât autre chose que le somptueux règne végétal avec quelques pierres en-dessous. Ce pullulement à peine visible – humains, bêtes, mammifères, volatiles, insectes – irrite durablement les replis soyeux des perspectives ! Toutefois le détail de la nature échappe aux animaux saccageurs : ici et là s'isolent les jardins sublimes du regard. Et le panorama engloutit sous un déluge de sève les touristes ordinaires et les pèlerins...

Depuis bien des années, je marche pour ne pas mourir, d'un bout à l'autre de Honshu et dans les autres îles, celles où l'on ne risque pas de rattraper la queue de son ombre après un jour ou deux. Ma mémoire est mon seul fardeau, le plus lourd en tout cas, pesant comme un cadavre de femme. Un jour à venir, l'été, dans la montagne aux cigales, l'oubli me gratifiera de ses doux bûchers de lucioles où tout ce que l'on croyait aimer s'efface en cendres bleues avec la nuit montante. On pourrait croire que je cours après mon passé, mais c'est bien pire. Je me souviens du dernier soir *comme si c'était demain.*

Au Café Crépuscule, une folle allégresse s'était emparée de moi lorsque j'eus admis être le destinataire de l'inscription tracée par Saori au dos de la note de caisse. N'étais-je pas affecté au service des cinq tables en plus du bar, quand M. Bō jouait aux cartes ou au mahjong ? Barricadé dans la cabine téléphonique à l'heure de la fermeture, le cœur entre les dents, une voix d'homme en colère me répondit. Je raccrochai hâtivement, si penaud et chagriné que M. Bō crut à me voir qu'un malheur était arrivé à ma mère. Qui d'autre aurais-je pu appeler en effet ? J'étais en ce temps-là un bien laborieux étudiant en géologie, petit vulcanologue d'amphithéâtre spécialisé dans le cosmo-tellurisme. Rien dans mon physique ne trahissait ma double filiation nippo-américaine, à part un teint clair de fille et un épi de cheveux châtain-roux qui me barrait le front. Une maigreur de coucou déplumé et mes vilaines lunettes aux verres larges comme des soucoupes attiraient davantage l'attention. Les femmes me considéraient avec un tendre apitoiement, surtout les mères, prêtes eût-on dit à dégrafer leur corsage pour me donner le sein. En rentrant cette nuit-là, l'inquiétude de M. Bō se communiqua brusquement à moi. Au cours de l'existence, à certaines périodes lourdes d'anxiété et comme assaillies de coïncidences, d'étranges intuitions viennent bouleverser notre quiétude rationaliste.

Descendu à la gare de Nippori, dans le quartier en rénovation d'Arakawa où nous résidions, je pressais le pas en songeant à ma déconfiture au téléphone, à l'écoute d'une voix furibonde. « Qui êtes-vous ? Que nous voulez-vous à pareille heure ? » Saori avait dû griffonner le numéro pour elle-même, sans doute celui d'un nouvel amant. Selon la rumeur publique, une femme divorcée aurait grande hâte de se rassurer dans les bras d'un autre homme. Pourtant ma mère était demeurée célibataire, à ma connaissance. À part un matou angora à tête de bouddha, personne n'avait remplacé l'Américain dans son lit. En entrant chez nous le plus discrètement possible, je trouvai toutes les lampes allumées, celles du salon minuscule, de la cuisine et même des toilettes. Le chat poussait des plaintes d'enfant devant la chambre de ma mère. Comment rapporter cette cruelle seconde où les portes coulissantes du temps s'écartent à jamais sur un abîme du cœur et de la pensée... Maman gisait au pied de son lit dans une posture que je n'ose décrire. Une rupture d'anévrisme l'avait foudroyée. J'y songe aujourd'hui avec le même chagrin, mais sans émotion particulière. Tant d'années après, sa mort m'est devenue aussi intime qu'autrefois ses sourires. Partie chez les ombres avec son nom posthume, ma mère ne s'adresse plus à moi en vivante. Le lendemain des funérailles, venu aux nouvelles, M. Bō eut la mauvaise idée de m'apprendre sa relation privilégiée avec elle. Il avait même envisagé de remplacer le matou angora dans son lit, de devenir mon beau-père. La gêne teintée de courroux que j'en ressentis m'éclaira sur la double ou triple nature de mon deuil : j'avais perdu la seule femme de ma vie.

Les cendres de maman n'ont jamais cessé de

retomber sur ma tête. Cette année-là fut pour moi désastreuse. J'abandonnai tour à tour des études pourtant prometteuses et mon job à Golden Gai. Très vite, je dus quitter l'appartement d'Arakawa ; disperser les bibelots sans valeur, les kimonos, les geta en bois de saule qu'elle mettait pour se grandir, ses bijoux d'enfant, de la lingerie aussi. Il est cruel pour un fils de jeter en vrac toute la fragilité d'une vie avant de se trouver lui-même à la rue.

Le solde notarial me permit néanmoins de louer une chambre dans un garni tenu par une vieille Chinoise suspicieuse qui fut bien rassurée d'apprendre que je n'avais pas de famille à loger clandestinement. Je demeurais dans un quartier paisible de Monzen-Nakacho, au milieu des canaux et des temples. Plutôt vétuste, le bâtiment de trois étages isolé au fond d'une cour, en vis-à-vis d'une clinique psychiatrique, avait échappé au séisme de 1923 et aux bombardements de la dernière guerre. Ma chambre du premier donnait sur un carré de verdure dominé par un tilleul argenté séculaire. Ses vastes ramures où papillonnaient maints volatiles suffisaient à me consoler du monde. De ma fenêtre, les jeux d'ombre et de lumière au vent léger me captivaient à toute heure du jour. C'était le printemps. La contemplation de cet arbre en pleine foliation avait quelque chose de régénérant : je m'appuyais sur lui par l'esprit. Profondes, ses racines devaient s'enfoncer jusque sous les caves de la clinique visible à travers les branches. Le soir, entre leurs découpures, des figures apparaissaient aux fenêtres illuminées.

J'avais appris par ma logeuse cantonaise qu'on y soignait les femmes dépressives par des cures de sommeil. C'est tout ce qu'elle avait retenu d'un service accueillant les patientes atteintes d'addictions ou de troubles bipolaires. On pouvait remarquer un ballet d'infirmières d'une baie vitrée à l'autre. Aux étages supérieurs, tard dans la nuit, une pénombre bleutée transparaissait des stores. Cette présence féminine nombreuse et recluse, de l'autre côté du tilleul, troublait assez ma solitude. J'imaginais ces *belles endormies* en jeune homme mal reposé que le deuil isolait davantage. Mille démons scabreux tourmentent l'ingénu. Ce spectacle morose à la fin me paralysa : je voyais distinctement des dormantes toutes nues flottant comme des brumes entre les enfourchures du grand tilleul.

La peur de devenir fou est le début de la folie. Il fallait absolument que j'échappe aux fantômes de mon invention. La pensée de Saori me traversa alors : j'avais conservé son ticket de caisse griffonné. Peut-être m'étais-je trompé d'un chiffre la première fois ? Et la voix furibonde pouvait très bien avoir été celle d'un parent. Il n'empêche qu'appeler de nouveau exigea de moi un de ces efforts colossaux auxquels les timides se voient si fréquemment confrontés en vrais sumos du vent. Cette fois, par chance, une femme me répondit. Rien n'est plus trompeur que la voix humaine, pourtant je reconnus d'emblée Saori. Elle aussi, par une sorte de prodige ; les rares et bredouillantes paroles que j'avais pu lui adresser, elle en avait retenu l'intonation avant même que je me présente : « Ah, serait-ce vous enfin ? Le petit barman du Café Crépuscule... »

Il y a tant d'années de cela. Du jour au lendemain, cet appel fortuit par un soir de mai singulièrement capiteux changea ma vie et la couleur de mes rêves. Dans un pays où des chirurgiens prétendent influer sur votre destin en modifiant les lignes de la main, la superstition n'est pas en reste et je pliai aussitôt une centaine de grues de papier avec les feuilles perforées d'un cours de vulcanologie sorties de mon classeur.

Sur les versants du mont Yoshino, les bosquets de cerisiers ont des floraisons successives au fil des jours et depuis le vallon, comme si l'esprit des fleurs parcourait lui aussi un chemin de pèlerinage. Je me suis arrêté au Seiganto-ji, un temple bouddhiste Tendai, peu soucieux de bouleverser l'ordre des trente-trois étapes dévolues à Kh'anon, la déesse de la Compassion. En Inde et dans le sūtra du Cœur, celle-là prend la figure d'Avalokiteśvara, le bodhisattva de l'Éveil merveilleux revenu d'autres vies de perfection pour accompagner l'élévation du pèlerin. Secourable, ce bodhisattva sait prendre trente et trois apparences : roi céleste, brahmane ou déesse... Kh'anon, dit-on, écoute avec un infini recueillement quiconque l'appelle et ne manque jamais d'accorder une protection entière.

Déjà le crépuscule. Le soir dispose ses grands paravents d'ombre. On entend bruire les chutes d'eau de Nachi, visibles de l'autre côté de la pagode à deux niveaux. La déesse de la montagne y réside : c'est la cascade des esprits cachés, comme un dragon déplié de vif-argent, une épée d'écume aux trois lames ou quelque voile d'illusion intarissable jeté sur le torse d'un bouddha géant sculpté par les siècles dans ces hauts-reliefs. Malgré la fraîcheur piquante de la rosée, je veillerai toute cette nuit sans la perdre des yeux depuis un kiosque en bordure de précipice. On raconte qu'un arhat venu d'Inde contemplait déjà cette cascade il y a mille six cents ans. Comme lui, je sais tromper l'endormissement par l'aspiration ; et par l'expiration déloger les rêves luxuriants qui vous assaillent. Nul n'est à même de veiller sans renoncement. Le souffle ajuste l'intuition du vide. Mais un chagrin innommable trouble mon esprit et voilà que j'exhorte une fois de plus la miséricordieuse Kh'anon : *Viendra-t-elle, celle qui marche sans secours ?*

C'était au début des années quatre-vingt-dix de l'autre siècle, j'avais tout perdu avec ma pauvre mère : le foyer, l'amour clément, mes repères d'enfance et d'adolescence. Profitant d'une porte entrouverte, le chat angora avait disparu le matin même des funérailles. Peu de temps après la succession qui consistait en quelques meubles anciens, un kimono de mariage et le reliquat d'un compte bancaire, j'emménageai dans ce quartier inconnu de moi, au détour d'un de ces tristes chenaux des abords de la baie de Tokyo. Les clefs de la mémoire, un typhon les emporte au fond d'eaux ténébreuses.

Ces semaines d'indolence morose m'avaient conduit aux premiers jours de l'été. Occultant désormais les fenêtres de la clinique, la riche frondaison du tilleul argenté saturait l'air des senteurs entêtantes d'un million de fleurs. Par association naturelle, le parfum des tilleuls évoque toujours pour moi un profond sommeil de femmes nues et délaissées. À ce moment-là, depuis une cabine téléphonique du boulevard, j'avais rappelé Saori. Son départ imminent pour les États-Unis, pour Chicago précisément, jeta un voile d'irréalité sur ma nouvelle tentative : « Je n'ai qu'un après-midi à vous consacrer », m'avait-elle susurré d'une voix presque moqueuse.

La rêverie d'un ingénu étourdi par les fragrances de quelque grand arbre efflorescent vaut sans doute toutes les histoires d'amour. Mais je n'en menais pas large à notre première rencontre. Pourquoi me donna-t-elle rendez-vous dans le parc d'Ueno, au pied de la statue de Saigō Takamori, ce digne héros qui participa à l'avènement de l'Empereur avant de se révolter en dernier samouraï contre la politique d'ouverture ? Il faisait une chaleur exceptionnelle, et la foule des estivants et des tokyoïtes en quête de fraîcheur occupait les nombreuses allées ombragées, le long des boulingrins, entre les musées et les temples, par lentes processions composites où kimonos d'été et ombrelles se mêlaient aux vestons muraille des employés de bureau et aux bermudas des touristes. Un groupe d'Occidentaux que guidait un petit homme chauve s'amusait de la bedonnante effigie du chef de guerre sanglé d'une sorte de peignoir de bain et tenant en laisse son petit chien pour une promenade inébranlable. Au milieu d'eux, par le hasard des mouvements de foule, je reconnus d'emblée Saori lorsqu'elle apparut en robe noire et chapeau de paille au débouché d'une charmille ensoleillée. Comme elle ne pouvait me voir, je me retins de me précipiter et l'observais, fasciné par l'éclat d'une beauté un peu dédaigneuse dont on ne discernait guère l'émouvante maturité à cette distance. Mon cœur se mit à battre des poings contre ma cage thoracique. Dans quelle tête inconnue ai-je rêvé ce jour ? Puisque je ne pouvais disparaître sous terre, une bouffée de panique m'incita à fuir vers une allée de tilleuls. Cependant elle fut sans tarder à proximité et son sourire indulgent s'éclaira à mon intention.

Vie et mort pour cet instant
Ah, les tilleuls en fleur

D'apparence radieuse, sans la moindre prévention d'aucune sorte, Saori vivait son divorce comme un désastre exclusif et un désenchantement. Elle n'en montrait rien toutefois, affichant une disponibilité pareille à l'oubli. L'absence totale de préjugés et un certain sens des conventions cohabitaient bizarrement chez cette fière intellectuelle qui souffrait d'une nostalgie illimitée, sorte de *mal du passé,* assez semblable au mal du pays. Traductrice de l'anglais, experte en littérature américaine, elle aimait à l'occasion réciter les vers d'Anne Bradstreet, « À mon cher et affectueux mari » :

Si jamais deux ne firent qu'un, ce fut nous.
Si jamais homme fut aimé, ce fut toi.

Son jeune amant, encore trempé de sa sueur, l'écoutait avec un certain désarroi. Plus bègue que jamais, incapable de prononcer trois mots cohérents, il s'était résolu au silence. À peine moins âgée que ne l'était sa mère, Saori lui offrait un bonheur inconcevable. Chez elle, dans un appartement confortable au cœur de Tokyo, parmi ses milliers de livres et ses estampes, cette femme d'une grâce ensorceleuse se déshabillait comme en dansant et, sans doute pour ne pas l'effaroucher, prenait soin de son hôte avec les gestes précis et immuables du rituel d'apaisement qui précéderait un sacrifice redouté ou quelque sacrilège. À peine dévoilée, la chair opaline de Saori était une telle effraction de beauté, comme une rivière de montagne soudain en travers des tatamis ! À côté d'une pareille submersion des sens, faire l'amour au bain avec une princesse des bulles n'était qu'un rêve de collégien. L'expérience de Saori, à la solde d'un corps splendide, eut sur le jeune homme une si troublante emprise qu'il crut renaître à mille vies antérieures, lui qui n'avait encore rien vécu. Elle s'offrait si savamment que très vite se délièrent les amples frayeurs et les petites hantises qui, à son âge, s'accrochent aux choses du sexe. Mais c'était trop de ravissements et de féroces délices. Trop de vertiges. Comment son époux, ce Hayato moustachu et balafré, avait-il pu y renoncer ? Il n'y eut bientôt plus d'issues que dans l'éloquence : l'ex-barman du Café Crépuscule osa enfin déclarer sa flamme d'une voix forte et distincte, avec le sentiment de rompre un deuil. Touchée, Saori lui replaça doucement ses lunettes en forme de hublots sur le nez. C'est seulement alors qu'elle lui parla de son métier de traductrice et de son goût pour les excursions pédestres. De ses recherches littéraires aussi, d'une passion indéfectible pour un auteur plutôt méconnu de ses compatriotes sur lequel elle rédigeait une biographie du point de vue particulier de la marche à pied.

— Tu as vraiment quelque chose de lui, mon petit Shōichi, lui redit-elle un jour d'octobre, après des semaines d'isolement studieux.

— À cause des lunettes ou de mes sandales de paille tressée ?

— Non, sans plaisanter, tu ressembles à Santōka, tu as ses traits, son allure, un air de hibou surpris en plein jour.

Saori se souvint lui avoir déjà fait cette remarque au Café Crépuscule, un fameux soir, devant Hayato Mori, lequel ne releva pas l'incongruité. Un homme qui cesse d'aimer devient vite libéral.

— Est-ce pour cela que tu t'intéresses à moi ? demanda son jeune hôte, intimement convaincu que Saori, toute dévouée aux images révolues de sa vie ou aux empreintes de ses lectures, ne pouvait ressentir d'émotion qu'au second degré.

— Quelle idée ! s'étonna-t-elle. Mon ex-mari, lui, ne ressemblait à personne. Mais ça m'amuse assez d'avoir à demeure le portrait vivant de Santōka. Même si tu es tout le contraire : sobre, plutôt casanier et d'aspiration rationnelle, du moins dans tes études. Sais-tu ce qu'il disait ?

— Qui donc ?

— Santōka, voyons ! « Les jours où je ne marche pas, ne bois pas de saké, ne compose pas de haïkus, je ne les apprécie guère. »

— C'est juste, je n'ai encore jamais écrit un haïku, le saké me rend malade et j'ai les randonnées en aversion ! bredouilla Shōichi avec cette précipitation coléreuse des grands timides.

Il regretta aussitôt son mouvement d'humeur et, comme on s'incline devant une divinité, baisa les belles mains aux ongles vermeils pour n'avoir pas à s'excuser. La lumière d'automne diffractée en éventail par les biseaux des vitres jetait des aiguilles d'or sur le futon déployé le long d'un mur de livres.

Accroupie entre un empilement de dossiers sur lequel béait une encyclopédie et la table basse où une théière fumait encore, Saori considéra le jeune homme sans ciller. Son attention en équilibre sur un fil distendu de rêverie devint proche de l'extrême distraction. Depuis le temps qu'elle consacrait ses veilles à suivre pas à pas les déplacements de son très fragile héros à travers le pays, à étudier ses moindres états d'âme et à déplorer son infortune, il était naturel que Taneda Shōichi, alias Santōka, fût venu la visiter avec cette merveilleuse simplicité des spécimens mémorables.

— Tu te souviens, murmura cet autre Shōichi

d'une voix hésitante, lorsque j'ai appelé chez toi la première fois...

— Bien sûr, c'est mon ex-mari qui a décroché.

— Ton mari ? Je n'y crois pas ! N'étiez-vous pas séparés ?

Saori s'amusait de la mine déconfite de son amant. La jalousie, ce diable triste, manquait par trop d'esprit.

— Même lorsqu'il vous quitte pour une plus jeune, un mari, divorcé ou non, ne peut s'empêcher de venir prendre le thé, quelquefois...

En se penchant, un de ses seins, celui du cœur, roula hors du kimono. L'ardeur que mit Shōichi à la dénuder de haut en bas lui évoqua celle d'un petit garçon disputant quelque jouet dans un bac à sable. Quand il fut en elle, sanglotant de plaisir, elle observa les reflets du soleil sur le cadre d'une estampe de paysage marin au bleu de Prusse. Le couchant illuminait cette image offerte par Mori au début de leur histoire. Difficile de comprendre ce que l'amour bouleverse en vous. Son ex-époux n'était qu'une canaille égoïste et avide. Une partie d'elle, corps inclus, l'avait pourtant aveuglément aimé. Avec lui, malgré un abîme d'incompréhension, c'était le soleil qui entrait par sa porte. Saori serra les poings, ardemment secouée par son jeune adorateur au regard de myope. L'estampe disparut peu à peu sous l'intense réverbération. Comme un miroir, songea-t-elle. C'est ainsi : la mémoire se couvre de buée jusqu'au prochain rendez-vous.

Malgré leurs accords, Shōichi trouvait souvent porte close lorsqu'il se présentait. Il soupçonnait sa maîtresse de recevoir Mori, lequel ne se lassait pas d'afficher son ascendant sur cette femme répudiée. L'étudiant s'en retournait abattu, leur souhaitant mille morts, et rappliquait penaud le lendemain à la même heure, tout fébrile à l'idée d'être abandonné d'elle. Saori avait pris en lui la place exacte du vide ; sa présence comblait le puits tari de son cœur d'un déluge ininterrompu. Il l'aimait en nourrisson insatiable après toutes ces nuits collé au sein d'une morte ; elle était l'intime, pénétrante et altière immensité de la vie accordée par prodige à l'oisillon déplumé chu du nid. La perdre – il en chancelait de certitude alors – eût été pour lui mourir. Aussi revenait-il à elle sans un mot de blâme, affolé qu'elle pût lui ajourner ses faveurs. Pour lui plaire, il l'interrogeait sur l'avancement de son ouvrage, certain qu'elle prendrait plaisir à lui exposer l'état de ses recherches. En vérité, Saori parlait avec un tel enthousiasme de Taneda Shōichi, qu'il reporta plus ou moins sciemment sur ce dernier une part de son dépit. Quelle espèce d'intérêt allouer à un pareil bon à rien dont même la jeune sœur eut honte quand, vagabond de retour au village natal, il lui demanda asile. Mais Santōka avait au moins le mérite d'être mort et de distraire Saori de son incurable nostalgie. Était-il possible de s'amouracher, fût-ce spirituellement, de ce pitoyable moine, ivrogne endurci et haïkiste d'occasion qui ne trouvait d'assise littéraire qu'en d'incolores pastiches de Bashō ? Pour démontrer à sa maîtresse que lui, Shōichi, n'avait pas que ses verres de lunettes à double foyer en commun avec l'autre Shōichi, il s'essaya en secret à l'écriture de haïkus toute une semaine et se présenta triomphal à son domicile, une de ces journées ouvrables qu'elle lui avait imposées. Quand, une fossette de contentement au coin des lèvres, il lui lut son œuvre le temps d'une expiration, Saori ne put s'empêcher de rire.

— Pas mal ! dit-elle en écrasant une larme de l'index, mais il te manque peut-être encore un grand chagrin d'amour. Ce sera parfait quand tu auras fait tes classes à l'école de la vie et bien étudié l'art magistral des Bashō, Buson ou Santōka...

— Je me demande ce que tu lui trouves, à ton Santōka ! C'est tellement banal d'écrire :

Dans mon village natal
au secret de la nuit
rêvant de mon village natal

Ces mots à peine émis, le silence et même la gravité de cette femme qui n'était pas loin d'atteindre l'âge de sa mère lui renvoyèrent en écho le son de ses paroles et il en fut malgré lui bouleversé, songeant brusquement à tout ce qu'il ne reverrait jamais plus.

— Je t'aime beaucoup, mon petit Shōichi, lui déclara-t-elle ce jour-là avec une nuance de solennité. Mais tu ne dois pas trop t'attacher à moi. Inutile de consulter le bureau impérial des présages ! Je suis presque vieille et le temps nous sépare.

Saori venait d'apprendre le mariage en secondes noces de l'homme de sa vie avec une jeune fille qui eût été mieux assortie à son aimable blanc-bec. Elle en éprouvait néanmoins une vive douleur, par-delà l'humiliation, comme si cet acte juridique aujourd'hui presque suspect eût interdit tout retour en arrière. En l'instruisant d'un air fatigué de sa décision, quelques semaines plus tôt, Hayato Mori lui avait d'ailleurs déclaré que ses visites de courtoisie cesseraient conséquemment. Saori s'était moquée de son sens des convenances, mais il avait tenu parole, il n'était plus venu à l'improviste lui arracher des cris. C'est effrayant comme la forme d'un corps étreint longtemps chaque nuit perd vite toute consistance jusqu'à tomber en cendres. Elle aurait pu en remplir une urne. De lui, de leur couple, ne resteraient que des images pâlies. Le souvenir de leur mariage *devant les divinités,* par exemple. C'était au sanctuaire de Yasaka, parmi les fleurs et les statues…

Démoralisée, Saori songea mettre à profit les vacances universitaires pour revoir ses dossiers et en finir aussi avec Taneda Santōka. Voilà des années qu'elle vivait en parallèle, dans un pointillé tout de silence et d'égarement, une passion chaste d'apologiste. Cette biographie amoureuse, elle l'avait commencée bien avant sa rencontre avec l'homme de sa vie. Alors, dans sa pruderie d'intellectuelle peu encline aux abandons, elle n'imaginait pas quel embrasement l'attendait. Par sa seule présence, Hayato Mori avait éreinté toutes ses convictions, choses froides de l'esprit qu'aucun souffle n'anime. Lui parti, la flamme allait s'éteindre. La glace des certitudes de nouveau s'étendrait sur elle. L'une après l'autre, les cases de sa mémoire allaient se verrouiller ; mais la toute première restait béante. Son père qu'elle n'avait pas connu était le troisième homme de sa vie, mort en commando-suicide à la fin de la guerre du Pacifique après avoir récité son poème d'adieu et levé vers son lieu de naissance une coupe de saké, ignorant qu'à cet endroit, pour lui sans retour, sa toute jeune épouse était enceinte. Au large de l'île d'Okinawa, à bord d'un des quatre cents Mitsubishi Zéro engagés dans cette opération, il s'était explosé contre un navire de l'US Navy avec une bombe de deux cent cinquante kilos. Saori ne saurait jamais si ce troisième homme était volontaire ou contraint par l'état-major. Presque aussi ancienne pour elle que la débâcle de la flotte mongole de Kubilai Khan arrêtée par un cyclone, cette histoire n'en finissait pas de la bouleverser. Jeune fille, au sortir de l'occupation américaine, découvrant dans un vieux journal une transcription d'un manuel du suicide à l'usage des kamikazés, Saori s'était prise d'aversion pour le cynisme des gouvernants :

> *Istatsu ! Tue sans faillir !*
> *Ne ferme surtout pas les yeux avant la collision.*
> *D'un seul coup, tu vas avoir l'impression de flotter dans les airs.*
> *Alors, le visage de ta mère t'apparaîtra.*
> *Alors, tu ne seras plus.*

Après l'atomisation d'Hiroshima et de Nagasaki, il n'aurait sans doute fallu qu'un mot de l'Empereur sorti de son aphasie sacrée pour que soixante-dix-sept millions de Japonais suivent d'un bloc l'élite estudiantine dans le sacrifice. Déchus de leur prérogative, les nationalistes au pouvoir devinrent sans tarder les valets de l'occupant. Et la jeunesse nippone n'avait pas hésité entre deux modes de vie : le contre-modèle des vaincus, cérémonieux et paralysé, comme empesé de laque, et celui des vainqueurs, radieux et décontracté une fois leurs armes remisées. Saori, elle-même, s'était prise de passion pour la langue de l'ennemi, pour sa littérature. Les *Carnets américains* de Nathaniel Hawthorne ne renouvelaient-ils pas les délicates inventions de dame Sei Shōnagon ? Henry David Thoreau ou Ralph Waldo Emerson montraient par ailleurs autant de sagesse que les maîtres du bungo. Puisqu'il n'y avait d'autres génies que ceux de l'illusion et de la disparition, pourquoi ne pas s'ouvrir au monde ? D'un vieux sage qui ramena jadis de Chine un certain art d'être assis, elle aimait ces paroles au fond si consolantes : « Cette vie, à quoi la comparer ? À la goutte de rosée secouée du bec de l'oiseau aquatique et sur quoi vient luire un reflet de lune. »

Saori mit le point final à son dernier chapitre, toutes fenêtres ouvertes sur Miyashita Park où l'on distinguait, entre les branches des grands arbres, les premiers campements des sans-abri, quand Shōichi, titubant, surgit de la chambre à coucher.

— Je te croyais parti ! s'écria-t-elle. Mais d'où sors-tu, pieds nus, à cette heure ?

— Oh, ne te fâche pas, Saori ! Je m'étais endormi sous tes robes, là, dans ton placard. Garde-moi près de toi, j'aimerais ne jamais plus te quitter…

— Je pars demain rendre visite à une parente invalide sur l'île de Shikoku. Il faut que je me prépare. Tu vas t'habiller et rentrer chez toi avec une copie de ma biographie.

— Ah ? Santōka ! C'est donc enfin terminé ?
— Je te l'imprime tout de suite pour que tu l'emportes avec toi…

En quittant l'immeuble de sa maîtresse, une grosse enveloppe sous le bras, Shōichi se demandait quelle autre invention se cachait derrière cette histoire d'invalide. Saori cherchait à l'éloigner, elle s'était lassée de leur relation, il en avait l'intuition aiguë comme une longue pointe de verre qu'une main experte insinuerait à travers chacune de ses pensées, de ses moindres perceptions, et qui blessait à la fois le cœur et l'âme. À la station de tramway, il ne prit pas la peine de jeter un coup d'œil au manuscrit. Il le lirait plus tard. En diagonale, comme tout ce qui ne le concernait pas directement. Il n'avait guère d'autre obsession que d'être aimé de Saori, sans parallèle ni comparaison. S'il le fallait, lui aussi deviendrait un haïkiste hors pair. Il changerait même de monture de lunettes pour gagner en singularité. N'était-il qu'une lubie de femme mûre, un ersatz de mari ou de yorkshire ?

Rentré dans sa chambre après s'être attardé le long des eaux huileuses d'un canal où les bouchons de feuilles mortes aveuglaient par endroits le reflet des nuages, Shōichi constata que les fenêtres de la clinique étaient de nouveau distinctes à travers les branches du tilleul ; une silhouette blanche semblait l'épier, là-bas, entre deux rameaux éclaircis. Lui aussi avait besoin d'une cure de sommeil. Il se coucha tout habillé et s'assoupit d'un bloc. L'intensité d'un rêve sonde le cœur et les viscères.

À la poursuite d'une passante dont la nuque dégagée lui paraît d'une extraordinaire sensualité, alors qu'elle marche presque nue devant lui, il remarque que plus rien n'évoque son quartier de Monzen-Nakacho. Toujours sur les pas de la somnambule, il gravit aisément de faux escaliers de pierres roulantes et pénètre sous la voûte nocturne d'une forêt de pins ou de cèdres aux fûts gigantesques. Des lueurs s'échappent çà et là de lézardes fumantes à l'odeur de soufre. Il aperçoit un lac de lave aux remous de gemmes et de résines. Comment des arbres séculaires peuvent-il croître sur les lèvres d'un volcan actif?

Parvenue à sa conscience, la flagrante invalidité d'un tel phénomène l'éveilla avec un intense sentiment de frustration.

Saori s'était vraiment rendue sur l'île de Shikoku, même si aucune parente ne l'y attendait – à moins que son handicap fût de ne pas exister. Dans ce pays où tant de gens s'évanouissent en fumée, il n'est pas rare de se croire investi d'une mission envers les esprits. Trois jours plus tard, en poupe du ferry qui la ramenait sur Honshu, Saori était passée par-dessus bord, déséquilibrée par un coup de vent, selon la version officielle.

Convoqué le surlendemain dans un commissariat bien informé de son quartier, Shōichi eut la surprise de tomber sur le fonctionnaire de police à la peau noire du Café Crépuscule, celui-là même qui jouait aux dés ou au koï-koï avec le patron pendant des heures en sirotant saké sur saké. Il avait craint tout d'abord qu'il fût arrivé malheur à M. Bō. Une fois rassuré de ce côté, il se dit qu'on allait lui reprocher de lorgner nuit et jour les fenêtres de la clinique de somnothérapie et l'accuser de voyeurisme. Comment expliquer à ce vieux policier plutôt bienveillant et à ses collègues d'aspect si revêche sa fascination pour le tilleul argenté ? L'annonce de la noyade le prit totalement au dépourvu. Frappé au cœur, il poussa un cri étranglé et s'effondra en secouant les deux mains très haut comme de petites marionnettes. Un jeune auxiliaire le releva sans ménagement et l'aida à s'asseoir sur un siège de bureau.

— Nous avons découvert vos relations avec cette personne par diverses sources, le voisinage, les caméras de vidéosurveillance, l'ex-mari et cette littérature que vous lui adressiez...

En disant ces mots, l'auxiliaire brandit une liasse de lettres d'un petit air à la fois complice et scandalisé. Si maigre, avec sa face plate de tête de mort, il usait sans motif des intimidations ordinaires à l'endroit d'un suspect.

— Fichez-lui donc la paix ! coupa l'habitué du Café Crépuscule. Il ne s'agit pas d'un homicide.

— Pourquoi m'avoir convoqué ? se lamenta Shōichi.

— Simple routine ! Les causes du décès restent indéterminées : accident, suicide, on ne sait pas...

La gorge nouée, le jeune homme cherchait en vain un appui quelconque à sa raison vacillante.

— Où est-elle maintenant ? s'écria-t-il avec ce qui lui restait de voix.

— À la morgue de l'institut médico-légal du quartier nord, déclara un troisième préposé assis derrière son ordinateur. Monsieur Hayato Mori, son ex-conjoint, prendra en charge les funérailles si rien ne s'y oppose.

Dans les rues de Tokyo, en état de choc, Shōichi crispait tout son visage pour retenir ses larmes ; la digue rompue, les sanglots assurément l'auraient jeté au sol. Sans ressort, il marchait au hasard dans la boucle de la ligne ferroviaire, du côté d'Ueno, le long des docks de Minato, au gré des ponts, d'une rive à l'autre de la rivière Sumida. Il vagua ainsi des heures à travers la mécanique huilée des foules en progression silencieuse. En fin d'après-midi, anéanti de fatigue, il s'assit à la terrasse d'un bar de Shimokitazawa et considéra en aveugle la déambulation des étudiants et des touristes. Chopes de bière et flacons de saké achevèrent de brouiller sa compréhension des événements. Un couple d'Américains franchit bruyamment la chaussée. Saori ne lui avait jamais raconté ses voyages à Chicago. Elle semblait n'avoir pas remarqué non plus sa composante occidentale. Un père inconnu laisse peu d'empreintes ; la physionomie était-elle affaire de mimétisme, pareillement aux opinions ou à la sensibilité ?

À force de remplir son godet, Shōichi avait presque oublié la tragédie. C'était pour lui un effet inattendu de l'enivrement, ce vide soudain de l'esprit. Il voyait autour de lui surgir et disparaître des kimonos aux bruissements d'ailes de tourterelles, de grands personnages dégingandés, quantité d'adolescents en baskets revêtus des chiffons panachés à la mode. Un mendiant très digne passait de table en table et s'inclinait, que l'obole vînt ou pas ; les pièces tintant dans sa coupelle devaient bien moins l'intéresser que le regard des gens. Dans cette rue sans arbres où enseignes et inscriptions peintes à la poudre d'or miroitaient au soleil couchant, pourquoi ce pauvre homme lui évoquait-il l'automne ? La couleur de feuille sèche de ses mains et ses habits délavés, peut-être.

Un rêve lui revint par bribes avec l'image pénible d'un fœtus qu'on arrache d'un ventre. Les dormeuses de la clinique se promenaient certaines nuits en chemise légère. Leur traitement provoquait à l'occasion des crises irrépressibles de somnambulisme. Alors, quand sonnait minuit, elles ouvraient les fenêtres et s'élevaient dans les airs. C'était chose acquise dans son rêve. L'une d'elles, phosphorescente, flottait justement autour du tilleul. Sans doute la pleine lune, s'était-il dit avec ce fond d'incrédulité balançant entre veille et sommeil. Sa mère lui avait raconté autrefois que la lune blanchit le linge de maison et le visage des filles. Mais le vent s'était levé ; une branche accrochant sa chemise, la femme de l'arbre à moitié dénudée prit l'apparence de Saori. Elle allait se noyer, éperdue, dans un remous de feuilles mortes. L'automne, en grand mystère, s'annonçait par cette allégorie.

Ivre de saké et de bière, Shōichi voulut rentrer

chez lui pour s'assurer que sa clef ouvrait toujours sa porte. Cependant, ébloui par les lanternes et les néons crus des commerces, il s'égara dans les ruelles de Shimokitazawa. Un instant omise, l'annonce de la crémation prochaine de Saori le rattrapa alors de plein fouet, avec une effroyable nouveauté. La sensation de ses mains miraculeuses posées sur lui, de son regard et de ses lèvres, était par moments si intense qu'il en trébuchait, un voile de larmes devant les yeux. Tout cela bientôt ne serait plus que cendres. Par besoin de s'asseoir, il prit au vol un tramway et, le front contre la vitre, considéra les lumières tournantes du crépuscule. Sur une place, entre la gare de Tokyo et le palais impérial, des fontaines illuminées se détachèrent en une danse de silhouettes filiformes. Toute cette eau parut appeler la pluie : les fenêtres du véhicule ruisselèrent d'un coup. Déformées par le sillage des gouttes, les ombres des passants glissaient dans la nuit comme les homoncules cristallins des vasques. Un hasard magnétique conduisit Shōichi dans un méandre connu de canaux, de jardins et de sanctuaires. À bout de forces, l'esprit mêlé aux vapeurs de l'alcool, il parvint tant bien que mal à gagner sa chambre et s'immergea à peine couché dans la plus complète inconscience.

Le lendemain, la tête lourde, il s'était présenté à la morgue, sur une hauteur balayée par les vents.

Son aspect misérable, un air d'avoir dormi plusieurs nuits à la rue, et l'incohérence de ses propos alarmèrent les réceptionnistes du bureau d'accueil. Comme il insistait, deux garçons de salle réquisitionnés par interphone cherchèrent à le pousser dehors. Les yeux gonflés et rouges, Shōichi partit à se débattre et à gesticuler.

— Ma femme ! Ma femme ! Je veux la voir ! braillait-il en gémissant de désolation.

Un vieux médecin en blouse blanche, de fines lunettes sur le nez, accourut d'un pas mécanique.

— Qu'est-ce qui se passe ici ? s'inquiéta-t-il. Allons, allons, pas de brutalités !

Informé des détails de l'incident, il se tourna vers le visiteur et lui parla si près de l'oreille que son souffle semblait devoir sécher ses larmes.

— Voyons jeune homme, il est impossible de la voir pour l'instant, vous n'êtes pas de sa famille, et puis la défunte a besoin d'être remise à son avantage : après une autopsie, vous comprenez…

Neutralisé par la voix chaude du médecin légiste, Shōichi se laissa reconduire jusqu'aux portes du hall. Une fois à l'extérieur, de nouveau soumis à la violence des vents marins, il se mit à courir autour de l'édifice érigé au milieu d'un parking à peu près désert, hurlant comme un possédé le nom de sa maîtresse.

— Saori ! Ne me laisse pas seul ! Saori ! Saori ! Reviens ! Oh reviens, je t'en supplie…

Une heure plus tard, deux voitures de police suivies d'une ambulance vinrent se ranger sur le terre-plein du bâtiment. La face offerte à la pluie maintenant battante, Shōichi perçut d'un autre monde le froissement des roues et les claquements de portières. Après livraison d'un cadavre bâché à l'institut médico-légal, l'un des policiers remarqua une forme humaine recroquevillée sur le macadam.

C'est ainsi que l'ambulance conduisit Shōichi aux urgences d'une clinique proche. Au terme d'une nuit d'observation, il fut transféré à l'hôpital métropolitain Matsuzawa, dans l'arrondissement de Setagaya. Après deux jours et deux nuits d'un profond sommeil, un jeune psychiatre au nom de poète l'accueillit sans manières dans son cabinet, comme s'ils avaient été de bons camarades. Derrière son bureau métallique, le docteur Ryōkan manipulait un antique stylo à encre de ses mains délicates et soignées. Assis en face de lui, Shōichi remarqua les deux alliances à son annulaire.

— Tout ira bien maintenant, répéta le clinicien, d'ici quelques jours, on vous libérera. Vous avez fait une bouffée délirante, ça arrive à tout le monde. Mais il faudra prendre votre traitement sans faute jusqu'aux fêtes de l'O-Bon et revenir nous voir pour une consultation de contrôle. Avez-vous de la famille ?

En quittant l'hôpital, un après-midi lumineux tout irisé de voiles de brume, Shōichi fut surpris par la douceur de l'air. Une brise aux senteurs d'eau stagnante et de feuilles décomposées jouait avec son épi de cheveux et les pointes de son col. À ce moment, le vide de son esprit l'enveloppait d'une sorte de bénignité lustrale. Ses membres déliés, tout juste un peu gourds, le portaient dans une marche cotonneuse. L'asphalte des rues ondoyait sur un nuage. Le chemin dans la ville lui parut aussi insolite que la traversée d'une fête foraine ou quelque piste perdue en montagne. Mais il reconnut enfin les canaux après s'être trompé tour à tour de tramway et de métro.

Dans l'escalier de son immeuble, interpellé par la logeuse, il lui fallut quelques minutes pour comprendre qu'on lui donnait son congé. La vieille femme lui parlait avec lenteur, en mêlant les syllabes, comme si elle mastiquait des os de tortue.

— N'oubliez pas de me restituer les clefs à la fin du mois, jeune homme ! Vous comprenez, un inspecteur de police m'a interrogée à votre sujet. Ici, on n'héberge pas les faux étudiants !

Dans sa chambre, une fois la porte refermée, Shōichi sentit monter en lui une tristesse innommable. À sa fenêtre qu'il ouvrit grande pour s'appuyer à la rambarde, les dernières feuilles s'agitaient aux branches du tilleul. En filigrane, les longues et fines mains du psychiatre se dessinèrent dans l'arbre. « Tout le passé me revient bien mieux qu'en rêve », s'était jadis étonné un autre Ryōkan. Deux tourterelles se pourchassaient l'une l'autre, entrecroisant leurs ailes à chaque assaut. Une forme blanche lui faisait signe à travers les noirs kanji des branchages. Tournant le dos à la fenêtre, une sensation de brûlure subite par tout le corps, Shōichi considéra les choses éparses, ses vêtements, un sac de sport, la mallette d'une machine à écrire portative, quelques livres. Une pomme jaune toute ridée séchait entre une paire de gants posée là l'hiver dernier et la photographie encadrée de sa mère. Qu'allait-il devenir ? Il aperçut une épaisse enveloppe de papier kraft sur un coin de table. Son cœur se mit à battre violemment. Mais le flot de souvenirs et de folles déductions prêt à le submerger resta en suspens au bord de sa conscience. Sans précipitation, comme on dévêt un enfant, il sortit alors de son emballage la copie imprimée du manuscrit. Sur la page de titre était simplement écrit :

VIVRE AVEC SANTŌKA

Était-ce un roman ? Par modestie, sans doute, Saori avait évoqué dans un rire une biographie laborieuse que personne ne se mettrait en peine de lire. Saori ! Combien de jours avaient passé ?

L'épisode de la morgue lui revint brutalement en mémoire. Elle n'était plus de ce monde ! Ses funérailles étaient forcément accomplies. D'elle, ne restaient que poussière et os broyés. On avait brûlé son visage et ses seins, et ses belles épaules toujours un peu inclinées, et les ongles peints de ses mains. Shōichi se laissa choir, sans force, comme s'il n'y avait personne dans ses habits. Le document ouvert au sol, il partit à sangloter plus que jamais depuis sa petite enfance. Toute cette eau aveugle qui jaillissait de ses yeux et dans laquelle il se débattait, la poitrine sifflante, aurait presque pu le noyer lui aussi. Lorsqu'il n'eut plus de larmes, étourdi de silence, il tourna la première page rendue à peine lisible, toute gondolée d'humidité, et s'appliqua à déchiffrer les caractères malgré sa vue brouillée :

La solitude est bien la seule conquête de l'homme libre, c'est ce que pensait Santōka trempé dans ses haillons mais bienheureux à cet instant d'être en vie. Il avait marché depuis l'aube sous un déluge continu, en direction de Matsuyama. Ce n'était pas la première fois qu'il allait en pèlerinage honorer les nombreux temples de l'île de Shikoku, haltes rituelles avant les portes de Matsuyama où, par chance, on l'attendait sûrement, car la maladie rendait sa route périlleuse…

Le soir était tombé bien avant que Shōichi s'en fût rendu compte, attaché au fil de la narration avec une telle concentration que la grisaille puis l'obscurité envahissante lui en paraissaient plutôt un élément dramatique. À la limite des ténèbres, il finit par allumer sa lampe et, rassuré de voir le monde des signes s'éclairer de nouveau, il poursuivit sa lecture une partie de la nuit entre deux pauses songeuses, deux secrètes invocations. Mais le sommeil lui déroba l'épilogue ; la face dans les feuilles, il croyait continuer son déchiffrement, comme si les caractères avaient pris les proportions du monde et que ce qui s'inscrivait sur le papier correspondait à une suite bousculée d'événements dont lui-même était l'acteur ou le jouet. Il rouvrit bientôt les paupières à la même page, stupéfait d'avoir ajouté un chapitre inconnu au récit. Cette fois bien éveillé, il replongea sans tarder dans les aventures successivement tragiques, burlesques, émouvantes, et pour finir exemplaires, de Taneda Shōichi, dit Santōka – comme s'il eût été question de sa propre destinée. Au matin, parvenu au dénouement, il se concentra sur un point absent, les yeux clos, à l'écoute du chant des passereaux dans le tilleul.

La chemise de carton refermée, il la glissa au fond de son sac de voyage déjà rempli de quelques affaires personnelles, vêtements et livres pour l'essentiel. Il n'oublia pas sa trousse de toilette, la photographie de sa mère et son fétiche, un chat maneki-neko en porcelaine dorée offert par M. Bō. Comme il était encore tôt, épuisé par l'émotion, il se coucha à même le tatami en serrant contre lui son sac et s'endormit pour de bon dans les secondes qui suivirent. Un pâle rayon de soleil sur le visage, il rêva d'elle intensément. Vêtue d'un kimono de mariage si usé qu'il dévoilait une nudité de jouvencelle, Saori le guidait par des sentiers de cendres en bordure d'un cratère où tournoyait l'or sombre d'un magma de lave, lequel prit vite l'apparence d'une troupe de chevaux au galop. « Mon petit Santōka, lui disait-elle d'un ton tout aussi juvénile, c'est la voie du Diamant, ne t'en écarte jamais, jamais, jamais... » Poussière que le vent soulève et disperse, elle s'effaça dans la lumière du jour, tandis que sa voix résonnait encore.

La minute d'après, son sac sur l'épaule, Shōichi avait quitté sa chambre et rendu sa clef à la logeuse chinoise qui le considéra d'un air abasourdi.

— Mais je ne vous chassais pas, lui jura-t-elle avec une sorte de déférence apitoyée. Vous aviez encore deux semaines à votre crédit...

C'est à pied qu'il se rendit dans le quartier de Miyashita Park distant d'au moins deux lieues. Sans réfléchir, dans l'incapacité d'admettre la barbarie du jour, il refit le chemin de naguère et, la tête pleine de sensations perdues, les poings crispés, il se présenta enfin à la porte close d'un troisième étage après avoir franchi par ruse celles, intermédiaires, d'un hall d'entrée et d'un escalier. Il sonna maintes fois, gratta au point de se casser un ongle, frappa sans désemparer et supplia jusqu'à ce qu'un voisin de palier, pieds nus, d'une effrayante maigreur dans son kimono d'intérieur curieusement croisé sur le côté droit, fasse un pas en avant puis d'une voix altérée lui dise :

— Mais ne saviez-vous pas ? Madame Saori est décédée voilà presque un mois. Ne pleurez plus, n'incriminez personne, laissez-la partir en paix vers le séjour sans limites.

Shōichi, confondu de honte, salua l'homme émacié et quitta l'immeuble d'un pas précipité. Par grand mystère, ces paroles avaient suffi à lui rendre ses esprits.

Dehors, surpris par la circulation accrue, il vagabonda en plein désarroi, avant de se décider à gagner le parc, de l'autre côté de l'avenue. Pour la première fois, il remarqua les campements misérables sous les grands arbres. Soutenues par des pieux et encordées de sangles et de tendeurs, les bâches s'alignaient tout au long d'une allée de terre battue. Il aperçut des enfants blottis l'un contre l'autre au creux d'une abside en toile grise. Sous un toit de tente crasseux qui flottait au vent, un vieillard édenté lui sourit. Sans raison claire, il se souvint du dernier soir où, poussé vers la porte par Saori toute parée et parfumée en vue d'une sortie au théâtre – l'avant-veille de son départ pour l'île de Shikoku, il était revenu à pas de loup se dissimuler dans un placard rempli de robes suspendues à des cintres et s'était endormi en pleine félicité jusqu'au lendemain.

Bien des années plus tard, dans les replis des monts Kii, sur un sentier escarpé « où quelque chose pourrait vous charmer », comme un flâneur inspiré l'avait jadis noté devant quelque violette sauvage, Shōichi souriait en songeant au chemin parcouru, d'existence en existence, depuis que le monde se renouvelle, tout à l'écoute des chutes d'eau sacrées de Nachi où, prétend-on, séjourne la déesse de la Miséricorde dans sa ruisselante éternité. Avec le soir, des cars remplis de touristes et de pèlerins repartaient vers la vallée en klaxonnant aux virages. Il suivit des yeux les rosaces croisées des phares, étonné d'être finalement réconcilié avec sa calamiteuse époque. Dans son vieux sac tant de fois rapiécé qu'il en était devenu autre, à la juste place du manuscrit perdu de Saori, il y avait désormais un livre intitulé *Vivre avec Santōka*, à côté du chat porte-bonheur. En l'absence d'ayant droit, Shōichi avait été à l'origine de sa publication, voilà longtemps. Bien qu'il le connût par cœur au point de s'en réciter, yeux clos, des chapitres entiers, et même d'imaginer par déclinaison ceux qu'elle aurait aimé adjoindre ou parfaire, il le consultait parfois comme un miroir de papier où reposait sa douleur.

La solitude est bien le seul privilège de l'homme libre, c'est ce que se disait Santōka, assez peu satisfait d'être encore en vie, mais point malheureux non plus. Trempé malgré un vaste chapeau conique de bambou tressé, ses épaisses lunettes tout embuées, il avait marché depuis l'aube sous une pluie battante, en direction de Matsuyama, la ville fortifiée. Ce n'était pas la première fois qu'il allait sur l'île de Shikoku honorer quelques-uns de ses quatre-vingt-huit temples, à commencer par le Ryozen-ji et tous ceux qui suivent dans les quatre préfectures, sans oublier le passage en revue des bouddhas du Kanjizai-ji, étape obligée avant de parvenir à Matsuyama, où, par chance, on l'accueillerait. Le professeur Takahashi Ichijun, haïkiste chevronné, ne manquerait pas de l'héberger sur la recommandation chaleureuse de Sumita, son vieil éditeur. Les poches et la gourde vides, il n'avait même plus de quoi s'offrir le gîte et toute appétence l'avait depuis longtemps quitté.

Après une nuit de plus à la belle étoile, il avait repris sa marche, un pied devant l'autre. Ivre de l'instant faute de saké, Santōka suivait bon gré mal gré son chemin par des détours. Il ignore la ligne droite, celui que personne n'attend !

À n'en pas douter, sa vie terrestre n'était pas loin de connaître son terme : *Demain, le jour suivant, à la nouvelle lune, qui sait ?* Il ne s'en effrayait pas outre mesure. Ce qui a peur en nous avec nous disparaîtra – et le reste n'existe pas. Même trébuchant, son pas demeurait ferme et il avait encore la force de tendre la main pour mendier au seuil du prochain temple ou cueillir un brin d'origan sauvage en lisière des bois. Son esprit ne désirait rien, pas même l'illusion de l'éternel repos, et chaque instant le délivrait du précédent, comme une bulle éclate après une autre bulle.

Cependant la pluie était rentrée sous terre ; un rayon de soleil accrochait la pointe laquée des feuilles de houx. Le moine vagabond accentua son allure au bord d'un ravin où roulaient des eaux noires. Après un chemin bordé d'une palissade de hauts bambous ligotés, il traversa un petit pont en prenant soin de soulever son bâton ; parvenu sur l'autre rive, il salua les stèles étroites d'un cimetière étrangement isolé au milieu des reflets terreux d'une vaste rizière où deux pantins inutiles semblaient chercher comment se tirer d'affaire. Craint-il de se mouiller, l'épouvantail en paille de riz ?

Sans prendre la peine de les noter, Santōka laissait s'évanouir en lui mille haïkus à peine nés. Il songea à sa grand-mère trop gourmande. Ah ! toutes ces vieilles femmes étouffées au mochi ! Serait-il consacré aux victimes du gâteau de riz gluant, ce cimetière ? Une couleuvre sinua entre les gerbes de paille ; elle traversa vivement l'allée comme un sabre aimanté de samouraï et s'enfonça sans un bruit dans les gaulis. Mal décidé sur la meilleure façon de décrire cet instant, Santōka haussa les épaules et fit claquer sa langue en signe de révérence à sa grand-mère ou au serpent. Il marcha dès lors ainsi qu'un jeune homme, soulagé par grand mystère des cent douleurs de l'âge. Son bâton de pèlerin sonna bientôt sur une allée de pierre couverte de gravier blanc. Les toits du Kanjizai-ji se profilaient, là-bas, au-dessus des conifères. Il marcha toute une heure encore, tête basse, avec l'idée fixe de dénombrer à l'unité près le nombre des graviers entre chacun de ses pas. Ne calculait-on pas aujourd'hui des grandeurs d'étoiles invraisemblables au bout d'extraordinaires lunettes ?

Aux abords du temple et de ses dépendances, il s'adossa à un érable et prit le temps de contempler le beau nuancier des perspectives entre cieux et montagnes, par-delà les herbes folles d'une prairie. Quel apaisement ! C'était son dernier pèlerinage, après avoir parcouru les grandes îles tant de fois, entre deux ankyloses au secret d'un ermitage de fortune. Et toujours dans l'altière compagnie de ses maîtres d'ombre : Bashō le seul moderne, et son grand ancêtre Saigyō. Hormis l'or du rien, il avait brûlé l'essentiel de ses possessions avant d'embarquer pour Shikoku ; et c'était bien peu de chose. Toute richesse n'est que rosée sous le vent. Sa vie n'avait pas plus de valeur qu'une aigrette de pissenlit déplumée au souffle d'automne. En cette année 1939, la guerre menaçait partout dans le monde et qu'y pouvait-il, abandonné, à frissonner de fièvre sous une mourante étoile ? Les blindés et les avions de l'Armée rouge avaient bouté l'Empire hors des contrées mongoles à la fin de l'été ; après tant de carnages, à Nankin comme ailleurs, la « guerre sainte » connaissait d'autres revers en Chine occupée. Cette Voie impériale contre les kichiku ne ressemblait à rien d'humain. Traiter l'étranger en créature inférieure avait-il un sens ? La chenille qui se tortille pour passer d'une brindille à l'autre elle-même est un bouddha.

Santōka se souvint d'une autre conflagration, sans bombardiers ni canonnières, mais tout aussi destructrice pour les cœurs de papillons. L'amour aura sans doute provoqué plus de dommages sur cette terre que toutes les guerres connues depuis les rois de Wa. N'avait-il pas lui-même une famille, au grand naguère, à Kumamoto, une épouse à la peau de mochi et un mignon bambin ?

C'est ce que lui racontait sa mémoire par temps de solitude. Il avait cru alors trouver le bonheur grâce aux belles épaules d'une jeune femme et à l'oubli commun ; mais incapable de tenir son rang, sans vrais revenus, il s'était vite englué dans cette toile d'araignée qu'on appelle la vie conjugale. L'alcool et le jeu ne font pas bon ménage avec les obligations communes. Un beau jour, délogé comme un abeillaud, il s'était retrouvé à la rue, plus ivre de saké que jamais.

Un fantôme sur les talons, Santōka considéra l'envol de grands freux ; peut-être n'y avait-il que ces corvidés pour vivre sans trop de rancune en si proche communauté. C'était la leçon du Bouddha que de fuir au plus vite et de marcher, marcher, loin de tout foyer, en quête d'un angle perdu des magiques architectures du vide. Partout où l'on s'enferme, le démon de l'affliction et des chimères resurgit. Il n'empêche qu'après vingt ans de marche à pied et de soûlerie au clair de lune, dans les tavernes ou les huttes de montagne, il était toujours étreint à la gorge par cette bouleversante nostalgie qui prenait les contours des nuages, comme un doux visage de femme penché sous l'emportement minéral des cieux.

Santōka s'assit sur une borne de pierre en forme de grenouille que la mousse et l'usure avaient transformée en crapaud. On entendait encore toutes sortes d'oiseaux lancer leurs trilles dans les branchages, mais le chant des cigales s'étranglait avec les derniers beaux jours. Demain, il irait au bord de la mer écouter leurs ultimes stridulations sur la tombe d'un poète. Entre le premier et le dernier haïku, la vie passe d'une seule traite – à peine le temps d'une respiration ! Pourtant, il n'avait rien oublié des mille enseignements. Senseisui Ogiwara et ses amis de la revue *Sōun* lui avaient tout appris de l'art d'écrire sans avoir à compter sur ses doigts. Un jeune auteur, même vagabond, a des leçons de liberté en retard. Dans les branches des cryptomerias, les cigales répètent sans lassitude, chacune selon sa tribu, leur haïku d'été. C'est la tsukutsuku-boshi qu'on entend à l'automne – chante-t-elle l'amour ou sa mort prochaine ?

Une vive douleur au côté gauche, Santōka sortit de son sac pinceaux, encre et papier. Le geste de dessiner captait en quelques traits vifs le contour labile de l'instant. L'encre à peine sèche, tout était à nouveau autre. À la cigale et aux freux s'étaient substitués cette douleur inconnue et le bruit d'un pas nombreux. « Je suis malade », admit-il, à peine étonné. À ce moment, vêtus en cadavres, des pèlerins agitèrent leurs grelots. Les voilà qui défilent, portant chapeaux de paille pointus, impeccables dans leurs costumes blancs. Une étole sur le dos, le rosaire des cent huit passions entre deux doigts, ils tiennent en main leur bâton dédié à Kūkai, et s'en vont, d'un temple à l'autre, faire leurs ablutions et réciter le sūtra du Cœur pour devenir bouddha dans cette vie ou une autre, toujours à sonner les cloches et à brûler l'encens devant les statues des diables et des dieux. Santōka les regarda passer, ces citadins à sonnaille, femmes en nombre et vieilles gens dans la foulée de moines au crâne luisant, tous en quête de l'Octuple Sentier, tandis qu'à la même heure les hommes valides de ce pays tuaient ou mouraient au loin, en pleurant leur mère.

Le voyageur, après combien de haltes où nul ne l'espère, se dissout à la fin aux boucles du voyage sans rien avoir appris des espaces. On marche si longtemps, des années, pour oublier ; on pourrait très bien mourir à chaque pas, c'est pour ça qu'on avance. Il faut savoir s'arrêter n'importe où, à n'importe quel moment, et prendre avec délicatesse le pouls de l'impermanence. Si les saisons et les jours sont les enfants du temps, chaque instant est un temple.

Un soudain vertige parut mettre en rotation le crapaud de pierre. Santōka chercha ses genoux du bout des doigts ; sa tête oscillait et il sentit tout son corps glisser sur le côté. Avant lui, son large chapeau conique alla rouler dans l'herbe. Était-ce cela le lâcher-prise : un adieu aux signes infinis des choses, millions de génies de l'illusion, tandis qu'un vide se creuse, lumineux, entre les pétales et les graines du lotus, la fleur coïncidente, au-dessus des tourbes de l'apparence ? En tombant, Santōka heurta le sol ; du sang coula de sa tempe, il vit entre ses paupières mi-closes une fourmi s'engluer, si près de lui, dans la coulure pourpre. L'insecte qu'un saignement va noyer, peu lui chaut de quelle blessure !

Mais il fallait à tout prix ressusciter par un bout, galvaniser ses ligaments et remettre à contribution ses quatre membres. La route était longue encore avant Matsuyama. Il rassembla ses forces sans parvenir à bouger une phalange ; plus vide de substance qu'une carcasse de cigale, il avait l'impression de flotter au-dessus du sol fangeux. Mais impossible de retrouver ses jambes. Le précieux Kūkai viendrait-il au secours d'un pauvre moine vagabond ? Déjà, le jour déclinait sous les ormes jaunes et les grands cyprès. D'autres spectres blancs passèrent sans le voir en chantant des mantras sur la route du Kanjizai-ji. En vain Santōka tenta d'appeler à l'aide avec sa bouche de chair ; comme aucun son n'en sortait, il murmura pour lui-même : « Longtemps j'ai erré dans le cycle sans fin des renaissances. Que de douleurs ! »

La nuit bientôt allait jeter ses bâches. La tête inclinée, attentif à ce prodige de quiétude qui, depuis l'origine du monde, accompagne le coucher du soleil par un pacte tacite de toutes les créatures, Santōka sut qu'il pourrait fort bien s'endormir ou rendre l'âme, indifféremment. Un haïku de Bashō, dolent sur un chemin de pèlerinage, lui revint à l'esprit :

Pas encore mort
mais dormant à la fin du voyage
le soir d'automne

Passé cette minute surnaturelle en proue du crépuscule, les grillons rompant le silence prirent la relève des cigales, et des corbeaux las s'enfoncèrent avec des cris d'égorgés dans les brumes basses. Les ténèbres s'épaissirent sous les frondaisons. L'apparition d'un astéroïde puis d'une luciole entre ses cils croisés purent au moins l'assurer qu'il n'était pas aveugle. D'un coup, comme une lame vous retranche du monde, le matin sans astre d'un songe le déporta en pleine lumière… Il n'a plus mal ; quantité de lotus et de jacinthes l'entourent. Les fourmis par milliers s'agglutinent à son sang répandu autour du crapaud de pierre. L'eau filtrée des fleurs emplit goutte à goutte ses artères exsangues tandis que l'ample respiration des arbres vient ranimer ses bronches. Un vide immense le rapproche de chaque mouvement naturel – entre sa dépouille et les feuilles qui glissent à terre avec un léger bruit de lingerie, entre ses lèvres closes et le souffle du vent pareil à l'haleine de sa mère quand elle se penchait pour l'apaiser, entre son dernier regard et la hulotte messagère des déités.

Lui-même, délivré de son rêve, n'avait plus de contours ni de consistance. Salutaire dispersion ! À la fin, il comprit que rien n'était à attendre, rien qui manquât à ce monde. Intacte pour le grand amour, sa destinée n'aurait été qu'une brume vouée aux vents contraires. Le passé s'emplissait de son propre néant. Qui se soucierait des mémoires d'un nuage ? La vie allait le quitter, avec ses jeux cruels, ses animaux et ses décors. Inutile de s'accrocher à cette morne imposture ! Il pouvait accueillir la déesse de la Miséricorde à cœur ouvert. Un précepte chinois résonnait dans son oreille gauche, celle tournée vers le ciel : « Pareil à la divinité, faire de soi-même un vide où tous entrent librement. »

Sa paupière frémit, humide comme s'il avait pleuré. Des chants d'oiseaux épars lui apprirent qu'il respirait encore. Ce qui l'étonnait dans cette fichue réalité, lui-même existant si peu, c'était son obstination, cet entêtement à resurgir. Rien de plus opiniâtre que l'illusion ! La rosée dégoulinait sur son visage, elle avait presque empli son oreille. Que lui était-il arrivé pour être ainsi déjeté, branche brisée d'aucun arbre ? Bah ! il avait dû trébucher sur la même pierre, celle qu'il portait en lui depuis l'enfance. *Sept fois à terre, huit fois debout !* Des lignes pures se dessinèrent peu à peu dans la grisaille naissante. Il aperçut un scintillement ; puis ce fut l'aube – un océan de vacuité engloutit l'étoile du matin.

Tandis qu'il tentait de s'appuyer sur les coudes, non loin s'accrut un bourdonnement accompagné de cliquetis et de quintes. Une petite Datsun blanche surgit alors au détour d'un bosquet, sur cette voie carrossable qui rattrapait les routes du grand pèlerinage. Santōka la vit passer à faible allure, comme un daim sacré de Nara. Il ne s'attendait nullement à ce qu'elle fît marche arrière. Une dame vêtue à l'occidentale en sortit avec cette insigne lenteur de la grâce. L'apparition se dirigeait tranquillement à sa rencontre, d'un pas souple de danseuse. Le temps que les rayons du soleil, au-dessus d'elle, fusent entre les branches, l'intense clarté de ses traits lui parut immatérielle. C'était une sublime créature au visage étonnamment pâle, aux yeux étirés de félin. Pivoine sur tant de fraîcheur, sa bouche s'épanouissait dans un sourire ruisselant de lumière. Cette femme lui souriait des yeux, des lèvres, de tout son être… Couché au sol, Santōka tendit une main vers elle. Si vive fut sa joie dans sa grande détresse, qu'il proféra incontinent le nom de Kh'anon, la bodhisattva aux multiples figures, avec le sentiment puéril d'être sauvé des pires dangers. La jeune femme s'était accroupie tout près de lui, un diamant au bord des paupières. Elle posa une paume tiède sur son cou, à l'endroit de l'artère.

— Mais vous êtes blessé, dit-elle, en soutenant sa nuque de l'autre main.

Ce simple contact rendit une part de ses esprits à Santōka. Il ne voulait surtout pas être la cause d'embarras.

— Comme je suis né, je dois mourir un jour, dit-il en s'efforçant de rire. Merci, merci quand même de vous être inquiétée de moi. Je vais pouvoir me débrouiller…

Le conducteur du véhicule, élégant monsieur à la mâchoire serrée, les avait rejoints en boitillant. L'air dédaigneux, il venait d'allumer une cigarette anglaise.

— Encore un de ces mendigots avinés, dit-il, sans achever sa phrase.

— On va le transporter au Kanjizai-ji, il y a une infirmerie.

— Pas question de me salir les mains avec toute cette racaille !

— Tu vas m'aider, Mori !

Contre toute attente, ce dernier obtempéra après avoir lâché sa cigarette à peine consumée. Le couple parvint à rétablir sur ses jambes le vieil homme moite de rosée et de sueur puis à le soutenir jusqu'à la Datsun. Tassé sur lui-même à l'arrière du véhicule, son bagage et son chapeau de bambou entre les genoux, il se confondait maintenant en excuses.

— Je ne suis qu'un pauvre moine. Mon maître

s'appelait Gian, disciple de maître Dōgen, et il m'a baptisé Kōho. C'était il y a bien des années, près de Kumamoto…

— Et moi, répliqua d'un ton acerbe le conducteur, je ne suis qu'un patriote éclopé en voie de guérison qui piaffe de retourner au combat ! *Tennō heika banzai !*

À ses côtés, la jeune femme ne put s'empêcher de rire.

— Ne sois pas si impétueux, mon petit Mori. Si ta jambe te le permet, tu devrais plutôt imiter le moine Kōho et partir en pèlerinage.

L'automobile entra dans l'aire du temple encore déserte, hormis la présence de deux prêtres nonchalants dans leur robe bleue qui vaquaient entre les statues du zodiaque, le grand escalier et la pagode principale. Santōka considéra l'inscription sur une stèle de ciment. Kanjizai l'accueillait après l'avoir sauvé des fourmis ! À la demande impérieuse de Mori, des auxiliaires profanes vinrent prendre livraison de son passager et le conduisirent, vacillant, jusqu'à l'infirmerie. Mais l'automobiliste ne s'attendait pas à voir sa passagère leur emboîter le pas.

— Es-tu folle, Saori ? Nous devions rentrer au plus tôt à Takamatsu !

— Pas avant que je sois sûre de son sort.

— Laissons donc ce pouilleux entre leurs mains et partons d'ici !

— Sais-tu seulement qui se cache sous la défroque du moine Kōho ?

— L'Ulysse des Grecs rentrant dans son Ithaque, peut-être ?

— Inutile de te moquer. C'est Santōka, Taneda Shōichi Santōka en personne.

— Connais pas. Qui donc est celui-là ?

— Un homme qui a longtemps marché pour trouver l'endroit où mourir. Je te raconterai un jour son histoire.

Les sages montagnes de Yamaguchi et la mer alentour – en prolongement étale des champs de blé et des rizières que traverse de part en part un canal antique – bornaient un coin perdu de l'ancienne province de Suo, sous la lune et les étoiles, avec son château conquis par le puissant clan Mori, issu en droite ligne de Seiwa Genji qui régnait autrefois à Edo. Là même où s'étaient étendus les quartiers nobles de Hofu, au-dessus de ruines encore inexplorées, se tenait aujourd'hui un village insignifiant appelé Sabare ; paysans et pêcheurs s'y côtoyaient, à proximité des forges et des menuiseries, et dans la concurrence de plus vastes propriétés à la mode féodale, avec ferme, fenil et greniers à grains autour de solides résidences de pierre et de bois reconstruites ou consolidées de siècle en siècle au gré des séismes et des inondations.

La famille Taneda pouvait sembler heureuse. Dans ces années 1880, un propriétaire terrien d'un peu d'envergure n'avait qu'à gérer le fruit de ses domaines avec circonspection et ce qu'il faut d'esprit d'entreprise pour affronter l'ouverture croissante du pays aux marchés étrangers. Autant que sa grande distraction amoureuse le lui permettait, Taneda-dono respectait son épouse, révérait sa mère et ne dédaignait pas ses enfants. De complexion lymphatique, aimant les cuisines fortes en épices et les longues siestes, il s'ennuyait autant auprès de sa femme qu'avec son vieil économe dont on ne pouvait tirer aucun propos dépourvu de chiffres. Aussi prenait-il du bon temps au cercle politique local, association forcément nationaliste, championne des valeurs du Shinto, mais plutôt libérale sur les questions de progrès technique et d'éducation ; les disputes s'y prolongeaient d'ordinaire par des parties de go et des agapes arrosées du meilleur saké.

Excellente personne, dame Taneda avait une réputation de grâce aristocratique d'un bout à l'autre de la préfecture ; mais après dix ans de confinement marital, toujours entre une gestation et un allaitement, elle se mit à soupirer de regret en évoquant les heures bénies de ses fiançailles. Reléguée dans ses privilèges, une épouse devient vite une amante corvéable. Dame Taneda trouvait une compensation morose auprès de ses rejetons rescapés des maladies infantiles : sa fille aînée Sen et les deux garçons qui suivirent, Shōichi et Jiro, avec plus de réserve pour les derniers-nés encore en péril d'un mal ou d'un autre. Elle-même avait gardé de son enfance un obscur déchirement au souvenir des petites urnes conservées quarante-neuf jours à demeure, au milieu des lumignons, après la grande flamme du pavillon des pluies. Elle croyait en voir jaillir alors Akurojin-no-hi, *le feu du dieu de la mauvaise route.*

Shōichi et Jiro, par chance en pleine santé, jouaient au palet dans la cour sous l'œil de grand-mère Tsuru assise devant sa porte, à repriser les talons de coton de chausses au long cou d'oie. Sen devait être à son cours de calligraphie. Et les petits dormaient encore. On entendait rire et chanter les journaliers, dans les granges ; ceux-là rassemblaient leurs outils avant un départ tardif aux champs. Les deux filles des métayers couraient sans réflexion des poulaillers aux bâtisses branlantes des magasins, contournant par jeu ou superstition un petit autel de pierre plus ancien que la ferme et dont l'escalier aux trois hautes marches menait à une digne cahute à toiture incurvée, juste à hauteur d'un robinier séculaire maintenu à peu près debout par une pièce de charpente fichée en terre. Dame Taneda fit glisser davantage les panneaux de papier huilé, un peu éblouie par la lumière crue du matin. Ses garçons se chamaillaient autour du vieux puits à ossature de briques. Renforcée d'un cadre de bois de fer, la margelle n'était pas si haute et comme les servantes ne cessaient à cette heure d'y aller puiser au moyen d'une balancelle, il restait la plupart du temps à découvert sous son auvent. Avant qu'elle leur eût crié d'aller jouer plus loin, Tsuru, debout, chassait ses petits-fils à coups de tabi.

— Filez donc de là, vilains chiots ! jurait-elle. J'ai déjà perdu un chat dans ce puits...

Les gamins, espiègles, mimèrent un plongeon groupé, puis abandonnèrent la vieille à ses chaussettes.

— On pourrait aller attraper des salamandres à la rivière, proposa Jiro.

Shōichi, son aîné de trois ans, se laissa conduire, l'esprit ailleurs. Une seconde avant la rude intervention de Tsuru, il avait aperçu le visage fiévreux de sa mère, entre les panneaux. Sa passion malheureuse tenait pour lui du mystère. Comment pouvait-elle un instant être éprouvée par la distraction débonnaire et les fugues de ce bonhomme ? Taneda-dono, tout le monde l'aimait bien et s'amusait de lui. Avec son aimable face aux joues pleines, il semblait constamment sous l'inspiration d'Uzume, cette déesse de la joie et de la bonne humeur qui seule, lors d'une danse voluptueuse, était parvenue à sortir de sa bouderie cosmique Amaterasu, source de toute lumière, cloîtrée avec le jour dans la caverne d'Iwayado. Mais pourquoi donc sa mère, si prodigue en charmes, pleurait-elle après ce mari bedonnant ? À douze ans, Shōichi était à ce point bouleversé par l'univers féminin, par les merveilleux visages recopiés des plus beaux masques, tous ces drapés secrets, ces chevelures remontées d'un peigne, ces genoux ronds et ces tailles fines sous les dragons des kimonos, qu'en aucun cas il n'eût pu même soupçonner qu'une créature divine portât le moindre intérêt à l'un de ces drôles d'animaux pensifs et d'aspect si fruste que sont les messieurs, fût-ce Taneda-dono. Le long du canal, il considéra tour à tour une pie bavarde juchée sur la rambarde d'un pont de bois et son jeune frère silencieux qui battait l'eau avec une tige de bambou abandonnée par un pêcheur. Jiro était encore à l'âge où l'on percevait les adultes comme des statues pleines. Il ne pouvait imaginer aucun vide entre eux : pour lui, père et mère se combinaient l'un l'autre avec plus ou moins d'harmonie, mais comme les deux parties d'un seul cœur.

La pie dérangée s'envola dans un déploiement d'éventail tout moiré d'arc-en-ciel. De jeunes porteuses d'eau traversaient le pont en gigotant l'une derrière l'autre ; elles s'engagèrent d'un même pas sur les chemins à fleur d'un ciel illimité. À cause du balancement des seaux harnachés aux épaules, leurs hanches ondoyaient avec des frissons d'eau vive. Face au vent, les porteuses fredonnaient du bout des lèvres une mélopée aux paroles déformées par la distance. Troublé, Shōichi eût aimé les rejoindre pour écouter distinctement la brise de leurs voix et contempler de plus près cette calme danse sous l'étoffe légère du kimono. Mais il y avait un tel espace entre elles et lui – toute la distance mystérieuse, infranchissable, du désir ; leur chant approfondissait l'espèce de détresse doucereuse qui l'avait étreint depuis l'apparition du visage de sa mère entre les panneaux de papier huilé. Les femmes se laissent-elles toucher comme les fruits mûrs aux branches ? Plus limpides que jamais, les voix des porteuses d'eau palpitaient au vent :

Ma famille m'a mariée
à l'autre bout de l'île
Sur la tombe d'un prince
vêtu de givre blanc
Triste, triste, triste,
je suis triste à mourir

Shōichi appela son frère, saisi d'un pressentiment.

— Rentrons vite ! dit-il, il va faire de l'orage.

— Mais le ciel est tout bleu…

— Il fait semblant d'être bleu, là-bas, je vois un nuage.

Peu convaincu d'obéir, Jiro brandissait une salamandre transpercée au bout de sa tige de bambou.

Écœuré, Shōichi tenta de la lui soustraire.

— Sais-tu que cette bestiole souffre à peu près

autant qu'un amoureux trahi ?

Jiro éclata de rire en agitant le bout de roseau où se débattait un dragon miniature.

— Je t'imagine bien à sa place, dit-il, mais qui est ton amoureuse ? Tu peux rentrer si tu veux, moi, j'ai décidé de faire une brochette de grenouilles, de salamandres et de tritons que je grillerai sur le hibachi de grand-mère !

C'était l'heure du grand calme zénithal à la propriété ; en ce début d'après-midi écrasé de soleil, les ouvriers agricoles étaient tous aux champs et les servantes somnolaient à l'abri des communs. Grand-mère Tsuru pratiquait la sieste en moribonde intermittente tandis que les plus jeunes enfants épuisés par leurs jeux s'étaient volatilisés au secret des vergers ou dans l'ombre des granges. De plus en plus souvent en villégiature avec une de ses amantes sous couvert de rendez-vous de chasse ou d'assemblée politique, le maître de maison se souciait fort peu d'intendance, déléguant à son économe et à ses métayers la part fastidieuse de ses obligations. Mais il y a bien longtemps que sa conjointe avait percé à jour ces alibis. Taneda-dono réservait des chalets en montagne où il déchiquetait son cœur dans le ventre d'autres femmes. Avide de chairs blanches et d'étreintes, il payait des courtisanes, mignotait les femmes de chambre, débauchait volontiers des épouses modèles et laissait les affaires du domaine lentement péricliter. Partager quelques flacons de saké en bonne compagnie devant une belle geisha qui dansait avec modestie, toute à baisser les paupières et à remuer ses dix doigts peints sans qu'on ignorât rien de ses exploits érotiques, était pour lui un bonheur équivalent à la naissance d'un nouveau fils.

Était-ce l'intensité muette de la lumière du jour ? Dame Taneda cette fois n'en pouvait plus de solitude. Elle avait piétiné au sol une broche d'or reçue jadis à ses fiançailles et s'était élancée dans la grande cour, étonnée de l'accord tragique du silence et des cigales au crépitement de bois sec sous les feux du ciel. On n'entendait plus un oiseau. Aucun bruit, en dehors de cette affligeante stridulation contre les tympans du vide. Même le vieux robinier peuplé de passereaux s'était tu près de l'autel. Dame Taneda n'avait pas remarqué l'ombre maigre de Shōichi qui se faufilait du côté des cuisines. Dans le prisme solaire, elle voyait se déployer les serpents volants de sa mémoire. Existe-t-il plus glaçant désarroi que cette évidence de n'être plus aimée ? Quelque chose dans la poitrine se serre jusqu'à la nausée. Ne pourrait-on pas s'éprendre même d'un papillon ? N'être pas aimée, c'est ne plus être. On touche avec l'agrafe tordue d'une broche à l'artère de la vérité. Vie trompeuse, sortilèges de brumes. N'y aurait-il sur terre que des pourrissements déguisés ? Une déesse qui passe, sublime, en remuant les reins, ne vaut pas mieux qu'un tas de boyaux extirpés d'un ventre de baleine et qui bougent, fumants, au fond d'une soute. Encore jolie, des rides au coin des yeux, comment séduirait-elle son cher, cher, adorable dono ? Elle ne lui avait donné que des enfants, vivants ou morts, et ses étreintes à la longue devaient manquer d'invention. L'amour physique entre eux était devenu comme un emmêlement de méduses sans cerveau ni cœur. De lui à elle, il n'y avait plus rien, pas même l'exaltation des trente-six poètes immortels. Dame Taneda regrettait la larme sur sa joue autant que l'écrasante loi du karma.

Dans la poussière blanche de la cour, elle eut le sentiment de marcher parmi les tombes de son enfance. Quand elle bloqua son ventre contre la margelle du puits, une grosse araignée lui apparut qui semblait hésiter entre les interstices des pierres. La mort est une araignée qui n'a pas fait sa toile. Plus belle que jamais, dame Taneda contempla l'eau scintillante du fond, si lentement courbée, inclinée, penchée sur l'inconnu, les bras comme les branches d'un saule, jusqu'à ce qu'elle ne puisse plus se retenir, soudain basculant, déséquilibrée par le non-amour. Elle ne se blessa pas aux parois de briques et le miroir d'eau, s'ouvrant, délia d'un coup tous ses colliers d'argent. L'œil de poulpe de la nuit se cache au secret d'un puits. *Et j'ai vu tout au fond mon visage vieilli, celui que je n'aurai jamais, ô mes enfants sauvez-moi s'il est encore possible, et toi mon gentil mari, seul amour, secours-moi du jour le plus jeune.* Où sont Avalokiteśvara et la roue du Joyau ? Où se dissimule la divine Juntei Kh'anon qui repêche les gisants d'une main si miséricordieuse ? *Oh, mais je suffoque, la mort m'enlace.* Et le grand jour promis, où le trouver dans ce silence de glace ? Là, si proche, derrière les apparences de la plus cruelle douleur...

Avant même que Shōichi, pétrifié de stupeur, un gâteau de riz gluant dérobé aux cuisines toujours aux lèvres, eût vraiment compris l'événement, les cris déchirants de la vieille Tsuru tétanisèrent tout ce qu'il y avait de journaliers et de servantes encore présents sur le domaine.

— Le puits ! le puits ! bafouillait Tsuru. Sortez ma fille du puits !

— La maîtresse s'est jetée dans le puits ! extrapola une fermière mystérieusement prévenue.

Des hommes coururent chercher des cordes dans les remises. Le temps que cela prit, plusieurs femmes s'évanouirent, d'autres criaient en vain des paroles de réconfort par-dessus la margelle ; leurs voix pleines d'échos résonnaient comme d'un autre monde. Les cordes et les échelles mises en place, deux journaliers descendirent au milieu d'un cercle de curieux épouvantés ou divertis. On entendit des clapotis en cascade, comme lorsqu'on remonte un fugu gonflé d'eau à bord d'une jonque. Accouru, la gorge nouée, Shōichi n'avait pas lâché sa friandise qu'il écrasait nerveusement dans son poing. Quand le buste dénudé de sa mère émergea, la tête sans attache, ses cheveux détrempés répandus sur les épaules, il ouvrit grand la bouche, incapable d'en sortir un son, le regard planté sur l'apparition surnaturelle. L'un des sauveteurs avait passé une corde rattachée à la balancelle sous les aisselles de la morte et, grimpant peu à peu l'échelle de chanvre, ses grosses mains la poussaient par les hanches et les cuisses de manière indécente. Elle apparut tout entière alors, à peu près nue dans son léger yukata de lin ruisselant. Les femmes aussitôt s'emparèrent du corps, l'arrachant aux bras des hommes. Shōichi voulut les suivre jusqu'à la chambre restée ouverte, mais il trébucha, les mains tendues, et perdit connaissance. Trop occupée du drame, la petite foule ne fit pas attention à l'enfant tombé la face dans la poussière. Les vieux récitaient des sūtras, d'autres sanglotaient ; les plus avertis des choses du trépas s'affairaient déjà à rassembler les ustensiles indispensables à la décoration de l'oreiller.

On ne fut pas long à coucher le cadavre sur le tatami et à l'apprêter selon les usages. Le maître du domaine s'étant absenté depuis la veille au prétexte d'obligations professionnelles, c'est grand-mère Tsuru qui procéda à l'humidification des lèvres comme l'exige le rite, en vue des renaissances. Une servante plaça le chapelet des karmas entre les doigts de dame Taneda. Déjà, l'un des deux hommes descendus dans le puits avait sellé et harnaché un cheval de labour. Trempé des pieds à la tête, il cravacha la lourde bête afin de gagner le temple bouddhiste le plus proche de Sabare et ramener de gré ou de force un moine pour conjurer la malédiction.

Alors que le bourrin déboulait hors de l'enceinte, le petit Jiro revenait fièrement de sa chasse aux amphibiens, une javeline improvisée sur l'épaule. Embrochés, plusieurs salamandres et un crapaud vivant y dégoulinaient d'une matière sanguinolente. L'enfant fut frappé de stupeur devant ce cavalier hirsute qui l'arrosa de pluie tandis que l'énorme bête bondissait comme un poulain. Et plus encore par l'insolite agitation entre les bâtiments de ferme et la résidence. Son trophée immonde sur l'épaule, Jiro fut le premier à découvrir son frère étalé dans la poussière blanche. C'était trop de présages et il lâcha sa gaule.

— Shōichi ! Shōichi ! s'écria l'enfant, hors d'haleine.

Il se jeta sur lui pour le secouer jusqu'au premier signe de vie, puis l'aida tant bien que mal à se retourner et à s'asseoir. Les deux frères se considérèrent de longues minutes sans un mot. Des complaintes lugubres vinrent à leurs oreilles – pleurs et sanglots qui, à bout d'exhortations, avaient atteint la morne cadence de la douleur. Jiro n'osait rien demander, mais ses yeux s'agrandissaient d'effroi tandis que sa bouche se rétractait, minuscule.

— C'est la maman, dit enfin Shōichi d'une voix sourde. La maman est morte, mon petit frère.

Grâce à cette fameuse biographie de Saori – ma Saori tant aimée ! – on sait à peu près tout de l'enfance et de la jeunesse de l'infortuné Taneda Shōichi qui, des années plus tard, deviendra le moine vagabond Kōho. Je garde un exemplaire de ce petit ouvrage dans mes manches flottantes où que j'aille, aujourd'hui par les sentiers forestiers des monts Kii d'où l'on distingue, en contrebas, les vals enneigés par des milliers de cerisiers en fleur. Sur ces chemins seront passés, à des siècles de distance, le très miséreux Santōka qui dilapidait le fruit de sa mendicité en ivresses à bon marché et Bashō, notre maître à tous, dont l'humilité rayonnante captivait à travers les cités et les chemins tous les poètes vagabonds des cinq îles principales. On peut lire cette note si judicieuse dans ses carnets de voyage : « Qui ne voit la fleur dans les formes est pareil aux Barbares. De ce que nous voyons, il n'est rien qui ne soit fleur. » À contempler cette merveilleuse houle parfumée des vallons, toute barbarie en effet se dissipe. Et Bashō d'ajouter : « De ce que nous ressentons, rien qui ne soit lune. » La voilà justement toute ruisselante de clarté au-dessus du mont Yoshino, la lune du quinzième jour, alors que l'embrasement du crépuscule change en feux de joie cette neige des vergers et des jardins. Poussé par le vent d'ouest, solitaire, un nuage aux contours humains semble grimper la montagne, tout comme, on l'imagine, le moine Saigyō à l'époque de Heian et de Kamakura.

Puisse le ciel
me délivrer de cette vie
au deuxième mois
sous les fleurs des cerisiers
et sous une lune entière

Ces vers ne cesseront de me serrer le cœur. Est-il possible que, si proches les uns des autres au point de n'avoir qu'une seule et même fugitive réalité, l'immense solitude puisse ainsi nous égarer dans les regrets ? La lenteur, les heures, tous ces paysages, les perspectives indéfiniment ajournées puis d'un coup dévoilées, inattendues comme un destin dans l'errance magnétique... Sur les sentes des cinq îles, saison après saison, la marche à pied m'aura appris à mieux comprendre les hommes. Et l'un d'eux en particulier. Son esprit m'accompagne sans désemparer, doux fantôme aux yeux de hibou. Vraisemblablement à la suite du verdict amusé de Saori : « Tu ressembles à Santōka avec tes lunettes ! » Je ne puis m'empêcher d'associer sa douleur à la mienne. Mon homonyme par le prénom avait moins de douze ans lorsqu'il assista au suicide de sa mère. Et moi j'en comptais le double à la perte de Saori, certes en âge d'être la mienne, mais que ma rêverie assimile volontiers à la première des femmes, celle qui invite à la vie et à la mort, à Izanami plus belle que le feu.

Taneda Shōichi ne se remit jamais de cette tragédie causée par l'inconséquence d'un de ces braves *onnazuki no otoko* que les Occidentaux appellent vulgairement « coureurs de jupons », lequel avait pour seule particularité d'être son père. Taneda-dono en fut d'ailleurs durement éprouvé, mais le maître du domaine était un homme à consolations. Les funérailles accomplies et le sel répandu en abondance, après les quarante-neuf jours et le dépôt des cendres au cimetière de Sabare, la vie reprit ses droits coutumiers. Les plus jeunes enfants de la défunte avaient été confiés à la famille, Taneda-dono n'envisageant guère de se remarier. Jiro fut placé en pension pour l'année dans une école d'un temple bouddhiste proche de Yamaguchi. Sen, la fille aînée, partit en apprentissage à Hiroshima, distant d'à peine vingt lieues. De son côté, grand-mère Tsuru alors âgée de soixante-deux ans adopta sans hésiter Shōichi à l'heure de la dispersion. Fière de son indépendance, elle habitait une maison de bois sur des fondations de pierres de mer, un peu à l'écart de la demeure familiale, entre l'autel aux trois marches et les planches noires d'une baraque où – prétendaient les paysans du coin – un bodhisattva de la Terre de l'Immobilité était tombé d'un coup en poussière après un siècle de méditation sans boire ni manger. D'un naturel plutôt revêche, endurcie par d'innombrables deuils, Tsuru prit en main son petit-fils avec une exceptionnelle prévenance. Miroir de lune sur son visage, elle voyait s'y refléter l'inconsolable chagrin dont elle-même était instruite. À travers les murs de pierre et les cloisons de papier, depuis le commencement du monde, Shōichi était marqué au plus profond. Sa douleur ne pouvait parler ou faire un geste, à jamais ancrée dans le noir. Tsuru se disait parfois que Shinigami ou le dieu des chemins emporterait son petit-fils avant la fête de l'O-Bon, si elle ne parvenait pas à lui rendre un peu d'appétit et le goût des choses. Il eût fallu le nourrir au sein, prendre la voix de sa mère et le bercer nuit après nuit ; mais Taneda Shōichi restait prostré des heures devant les portes entrouvertes, à contempler le puits d'un air de renoncement si intense qu'autour de lui les feuilles du robinier bancal ou des érables nains se détachaient des branches. Comment distinguer la loi du karma d'un mal incurable ? Pour conjurer le sort, Tsuru dessinait des spirales avec une épice jaune sur la poitrine du garçon avant de lui imposer les mains ; elle brûlait matin et soir des feuilles de papier de riz marquées du kanji 四. Les nuits de pleine lune, elle n'oubliait jamais de caler sur l'auvent une écuelle d'eau pure afin de la lui donner à boire au réveil, tout imprégnée de lumière spirituelle.

Personne dans le domaine ne se souciait vraiment des méthodes d'éducation de Tsuru, et moins qu'aucun Taneda-dono, le bon père, si ébranlé par son drame qu'il découchait en permanence, multipliant les aventures dans les renardières à galanteries des montagnes. Son économe, honnête facturier mais inapte en gestion, s'arrachait les cheveux devant les résultats comptables que son maître ne souhaitait même plus consulter. Il aurait aimé lui demander, les yeux dans les yeux : « À votre avis, Taneda-dono, en combien de jours de fête se calcule une banqueroute ? » Un simple propriétaire terrien d'une région reculée ne pouvait décidément pas se comporter en prince Genji. Le maître revenait au milieu de la semaine pour sermonner ses employés, embrasser son fils sous l'œil glacial de la vieille Tsuru, recevoir à l'occasion les riches voisins, puis filer au plus vite au cercle politique local.

Tsuru ne se rebella pas quand Taneda-dono, affligé de voir son fils aîné sombrer dans la mélancolie et l'indolence, décida de l'envoyer au nouveau collège de la préfecture administré à la manière occidentale. Elle avait tellement vécu de pertes et de séparations que sa solitude la comblait assez. Le jeune garçon en revanche refusait de s'éloigner de l'autel et du puits. Il traînaillait dans la cour du matin au soir, canard avec les canards, paon parmi les paons, puis ombre entre les ombres. Mais on ne le vit plus réapparaître la veille du départ prévu pour Yamaguchi. Dans l'ordinaire distraction, l'univers lui-même pourrait très bien s'évanouir à l'insu de tous. Tsuru fut la première à s'inquiéter de son absence. Dérangés dans leur torpeur, les gens du domaine se mirent à la recherche du fugitif; on l'appela à travers les champs et les forêts, entre les monts et la mer intérieure – jamais son nom n'eut autant d'échos.

C'était la fin de l'été; Shōichi avait empli des lucioles mourantes de septembre une boîte de papier huilé, petite lanterne céleste qui ne s'envolerait jamais. Les insectes s'attisaient encore un peu. Avec sa maigre récolte de lumière, il alla se réfugier dans la baraque du bodhisattva où, si souvent naguère, Jiro et lui s'étaient cachés pour se raconter des histoires de fantômes vengeurs et autres créatures impossibles. Cette nuit-là, quand les appels cessèrent autour du domaine et que sa lampe magique s'éteignit tout à fait, Shōichi sentit une présence s'insinuer. Comment aurait-il pu lui échapper? Inondée d'une eau fluorescente, dame

Taneda peu à peu prit figure. Sa nudité lunaire, il ne savait comment ne pas la voir, sanglotant, une main sur les yeux. La beauté de sa mère morte rayonnait à sa portée, sous un échafaudage d'ombres, et il n'osait s'élancer pour l'étreindre. N'était-ce pas là un autre miracle du bodhisattva ? « Viens si tu veux, disait-elle d'une voix étrange, à proximité, juste derrière son rêve. Viens donc avec ta maman, Shōichi, personne ne t'aimera comme je t'aime… »

Aux lueurs de l'aube, tandis qu'un coq s'égosillait, il s'éveilla par à-coups, surpris de se retrouver sur un tas de paille. Son premier mouvement fut de s'esquiver entre deux planches disjointes, par l'arrière de la cabane. Il dévala les chemins creux avec au fond des orbites la déchirante nudité de sa mère. Elle le visitait ainsi presque chaque nuit, ruisselante et les cheveux épars. Pour oublier une telle douleur, il fallait marcher et courir, un point au cœur, jusqu'à la côte. Marcher est une façon de ne pas mourir. Tout le corps se démène, les jambes ne pensent qu'à elles, les bras barattent le vide, et l'espace s'incurve immensément vers l'abîme de l'horizon. La mort à vos basques s'amuse on dirait : Cours les chemins, sauve-toi jusqu'au rivage, je ne te lâcherai pas d'une semelle ! Mais il n'est pas temps encore, bien d'autres blessures viendront avant de succomber. Il y a une heure pour marcher au vent de l'aube et une autre pour rejoindre sa mère avec un nom posthume négocié à prix d'or.

Taneda Shōichi sentit l'herbe sèche se dérober sous ses pieds et la terre se muer en sable. La mer lui apparut d'un seul tenant au-dessus des dunes ; elle embaumait d'une senteur de fleurs, de tourbe et de conifères venue des îles invisibles. L'automne s'annonce par le grand large, puisque l'esprit des fleurs va s'y perdre. Il descendit jusqu'au remous et s'assit en tailleur, face à une dispersion d'îlots et de brisants. Les jonques des pêcheurs louvoyaient entre les passes et les goulets. Au loin, dans la lumière rasante, un navire à haute mâture se profila, toutes voiles dehors, ses œuvres vives galonnées de reflets. C'est ainsi que durent surgir, quatre décennies plus tôt, les canonnières badigeonnées de goudron du commodore Matthew C. Perry, tirant le pays d'un sommeil paisible. Sous la brise, du bout des doigts, Shōichi s'aperçut que son visage portait un masque de larmes durcies, qu'il grelottait d'effroi à l'intérieur de son squelette. En dehors de lui, pourtant, un monde épanoui dispensait ses splendeurs. Les scintillements des flottaisons et des dernières étoiles lui évoquèrent la lumière de la neige, la rosée nocturne dans un jardin de pivoines, la chute des pétales de cerisier, un éventail brodé jailli d'un obi de jeune fille. Il respira l'air marin, pénétré de réminiscences. Tout ce qu'il avait vécu jusqu'à ce jour lui parut empreint d'une infinie mélancolie. Le suicide de sa mère avait ouvert une nécropole plus vaste que la mémoire où Sabare, les gens du domaine, sa grand-mère Tsuru mimaient la vie quotidienne au sein d'Izanami brûlée vive, dans le royaume de la nuit perpétuelle. Fraîcheur de l'oubli ! Saisi d'une impulsion, Shōichi se dévêtit complètement et courut se jeter dans les vagues. Un goût amer aux lèvres, il nagea longtemps vers une balise en forme de stupa, crut maintes fois couler à pic sous la houle, et revint sur la rive à genoux, le souffle coupé. Le soleil avait éteint la dernière étoile. Il s'allongea sur un lit de minuscules coquillages. En séchant, sa peau lisse d'adolescent se couvrit de stries blanchâtres. C'était le sel des vagues qui le décapait de l'empreinte de la mort. Secoué de frissons, Shōichi se rhabilla sous l'œil amusé d'une pêcheuse de mollusques aux jambes nues, son foulard noué à la façon des voleurs. Il reprit le chemin de Sabare, grimpa sur les dunes aux crinières hirsutes, traversa des sentes bordées de lespédèzes aux reflets d'argent, des champs couleur de paille et enfin les rizières.

Une voiture de louage attelée à quatre chevaux l'attendait depuis la veille au domaine, sa malle juchée sur le toit. Et le cocher furibond, des rhumatismes plein les bottes, n'était pas d'humeur à perdre une minute de plus en aménités et en adieux.

En ces années-là et pour un demi-siècle, les collèges et universités impériaux, après un moment de liesse mimétique sur les modèles français et américains, étaient revenus aux valeurs coutumières du temps du shogunat, celles de l'éthique confucéenne, toutes de dévouement au pays, de respect scrupuleux aux hiérarchies fondant la société traditionnelle – et d'attachement à l'esprit de connaissance, « clef du pouvoir et de la sagesse ». Il est bien près du savoir en effet, celui qui aime à apprendre. Plus craintif qu'un lézard mais d'apparence sage, Taneda Shōichi n'eut pas de mal à se plier à la discipline. Au début, en dépit d'une mémoire remarquable, il montra des difficultés à la lecture à distance ainsi qu'aux exercices de calligraphie. Comme il mangeait peu, vomissait souvent et souffrait d'insomnie, le médecin de l'établissement finit par diagnostiquer une altération de l'état général et, par subite intuition, une baisse assez désastreuse de l'acuité visuelle. Outre une médication de cheval, on lui procura d'affreuses lunettes de myope dûment facturées à

Taneda-dono. Ainsi affublé, le jeune garçon devint la risée de ses condisciples ; on le houspillait volontiers avant l'entrée des maîtres et les quolibets rivalisaient d'invention : culs-de-bouteille, paire de châssis, quatre-yeux ou quinquets de verre, mais Shōichi ne s'en formalisait guère ; d'avoir recouvré la vue l'emplissait d'une lumière inédite : celle qu'allaient lui dispenser ses riches lectures et les confidences d'un jeune maître de vingt ans qui l'avait pris en affection. Aguri était venu à son secours en détournant avec esprit l'attention de ses persécuteurs. En poste subalterne, quoique diplômé de littérature classique, il présidait aux études du soir et aux classes de diction. Son élégance de dandy anglais agaçait ses collègues, tous plus âgés, lesquels aimaient prendre de faux airs de samouraï prêt à dégainer le sabre d'honneur – en fait, un éventail. Discret et plutôt distant, Aguri n'aurait pour rien au monde avoué à ces rustres d'érudits qu'il écrivait sans témoin haïkus et tanka à peu près chaque nuit, quand le profond sommeil creusait l'espace nocturne d'un souffle unanime comme émané d'immenses cavernes. Lui – seul éveillé – avait l'impression d'aligner ses kanji d'encre noire sous la dictée d'une flamme de chandelle. Il aimait en particulier Chiyo-ni, mais ce n'était pas son rôle de l'enseigner ; élève des disciples de Bashō, cette fille de calligraphe du siècle passé avait reçu le nom de Soen, ou « jardin nu », le jour où, devenue bonzesse, ses beaux cheveux furent sacrifiés. Libérée du monde mais jalouse de sa liberté, elle sut atteindre un lieu sublime où présence et désir se confondent et s'annulent dans la vision pure. Aguri avait toujours son ultime haïku au bord des lèvres, comme le dernier soupir recueilli d'une âme sœur :

La lune aussi
je l'aurai vue
à ce monde adieu

La lune justement éclairait sa chambre tout autant que sa bougie. Posée en piles égales sur trois étagères de bambou, sa bibliothèque valait pour lui amplement les Trois Trésors sacrés : à commencer par les *Notes de chevet* et *le Dit du Genji* des dames admirables, ou encore *le Recueil des dix mille feuilles*. Et toute cette littérature des temps féodaux où les voyageurs, poètes et moines érémitiques parcouraient des contrées de brumes et d'orages à travers les guerres incessantes, les cataclysmes et les famines, laissant à peine une fleur de lotus, surgie d'une tourbe immonde, rappeler l'univers à son néant béatifique. Sur la troisième planche, les anciens écrits zen et taoïstes côtoyaient les livrets de nō, les contes de Saikaku et le théâtre pour ombres incandescentes de Chikamatsu Monzaemon.

Un visiteur nocturne, presque chaque soir après l'extinction des feux, se faufilait en catimini jusqu'à la chambre du jeune maître afin de partager cette merveille déployée que sont les livres, et sans doute Shōichi apprit-il davantage dans l'intimité de son protecteur que sur les bancs de ses classes. Aguri lui lisait des pièces pour marionnettes de Chikamatsu ou les haïkus de la bonzesse du Jardin nu, avec une intonation si juste et expressive qu'il n'était guère utile d'y ajouter la redondance d'un commentaire. Lorsque le jeune maître abordait les notes de voyages de Matsuo Munefusa, dit Bashō, son élève de la nuit retenait son souffle comme s'il était découvert, comme s'il s'agissait de lui-même, mais dans un autre temps ou une autre vie dont il eût méconnu encore l'équilibre et les désordres.

— « Partant pour un voyage de mille lieues, sans m'encombrer de provisions, sous la lune de la troisième veille, dans l'inquestionnable je suis entré », a pu dire cet Ancien... Le jour où, sous l'averse à mon tour, je passais la barrière, les montagnes s'évanouissaient toutes dans les nuages...

Aguri fumait une longue pipe de terre, un exemplaire du *Nozarashi kikō* entre les mains, quand le proviseur du collège entra sans s'annoncer dans sa chambre. Il n'y eut pas d'altercation. Aguri se leva simplement pour s'incliner tandis que Shōichi fut renvoyé au dortoir avec la promesse d'une sanction. On fit éteindre les lumières. Le jeune maître, licencié, dut quitter l'établissement dans la journée qui suivit avant même d'avoir trouvé un logement pour y déposer ses malles.

Les années passent, semblables aux lanternes célestes qui se dispersent très haut et s'éteignent parmi les étoiles. Le passé n'est passé de rien, le futur nous effleure à peine, et tout se résorbe dans l'éternel présent. Tel pouvait être l'état d'esprit de Taneda Shōichi à vingt ans, le plus souvent seul, à soliloquer dans les rues de Tokyo ou dans la chambre meublée d'une pension pour étudiants à proximité du quartier de Chiyoda.

Après d'honnêtes études secondaires au collège impérial de la préfecture de Yamaguchi que ponctuaient les étés immobiles à Sabare, dans la propriété familiale qu'une meute de créanciers assiégeait à toute heure, son cher vieux père, portant beau à son habitude, la paupière toujours frémissante d'une idée de fugue amoureuse, l'avait indolemment inscrit à l'université Waseda, au département de littérature. Créée au début de l'ère Meiji pour servir les ambitions despotiques de l'État, on y formait les bonnes graines d'une bourgeoisie en pleine expansion mêlées à la fine fleur de l'aristocratie, sur le modèle anglo-saxon. L'esprit de compétition, jusque-là cantonné aux joutes poétiques, à l'effort de mémorisation à outrance, ou à d'autres exploits au secret des maisons de thé environnantes, découvrit à cette époque un singulier exutoire dans le base-ball, en émulation concertée avec les universités de la côte Ouest des États-Unis. Le sport, alors en propagation méthodique dans un monde va-t-en-guerre, démarquait avec une feinte gratuité les exercices de manœuvre des troupes de ligne. L'étudiant Taneda Shōichi, qui n'aimait ni la déclamation ni les jeux d'équipe, ne put que se replier davantage sur lui-même. S'il suivait avec assiduité les cours d'éminents professeurs, certains venus de l'étranger, l'ennui d'une société de grands adolescents dociles, formés à l'obéissance et au mimétisme doctrinal, rendait sa solitude presque insoutenable : mêmes jeunes, les hommes en situation de promiscuité perdent toute prévenance. Ses études en devenaient insipides comme un thé de troisième eau. Mais il vivait libre sorti des cours.

Dame Hisao, la logeuse, laissait ses petits pensionnaires provinciaux aller et venir à leur guise quand aucune prime de bienveillante tutelle ne s'ajoutait aux loyers. L'établissement se trouvait coincé entre les vannes rouillées d'un canal, une brasserie de saké aux murs de briques rouges toujours en ébullition et le vaste jardin de pots et de jarres d'une fleuriste blottie matin et soir dans un kiosque minuscule aux vitrages peints de sentences.

La bride sur le cou ne manque pas d'empêtrer un cheval d'allure basse. Shōichi, dans son esseulement, n'avait que la ville comme chimère. Après les heures de cours, vite saisi de panique dans sa chambre étroite, il sortait les mains vides, dévalait l'escalier et s'enfonçait au hasard des rues entre Chuo et Chiyoda, les canaux et les quais de Minato, ou les secteurs bordiers de la rivière Sumida. Incapable de se repérer, il allait d'un pas rapide, traqué par son angoisse. Les foules affluaient à Chuo, vrai centre de Tokyo en ce temps, comme le sang afflue au cœur. Il s'y noyait des heures, ou plutôt y dérivait, porté par des palanquins d'épaules. Et d'une ombre à l'autre, des bribes de voix éparses lui parvenaient, voltigeant dans son crâne :

« Ah, de ma vie, jamais chose pareille !

« J'aime pas la méchanceté.

« On est que de passage…

« C'est courir après un fou…

« Trois rats devant l'autel…

« J'avais dû l'amener à la révision…

« Que peut-on voir ici ?

« Les héros se connaissent !

« Oui, des poissons de haute mer…

« C'est plus savoir quand il est temps…

« Il est en mission principale…

« L'amour, y crois-tu ?

D'une avenue éclairée de becs de gaz aux rues plus obscures où vacillent les lanternes, c'est lui-même qu'il fuyait, son corps inutile livré au monstre tentaculaire. Certaines femmes en kimono de soie, d'allure plus lente, allant serrées l'une contre l'autre à petits pas contraints, semblaient ouvrir avec la nuit des chemins de voleurs peuplés de chauves-souris et de chats-huants. Un soir, il finit par escorter trois silhouettes oscillantes évoluant dans le contre-jour, pareilles à ces grandes figurines articulées du théâtre bunraku que les montreurs manipulent à vue. L'une d'elles au kimono plus discret, le visage fardé de craie et de vermeil, ralentit le pas et lui sourit. Les deux autres, arborant des couleurs d'oiseaux exotiques, pivotèrent à leur tour et ne purent contenir un éclat de rire. C'était par un soir tiède d'arrière-saison bruissant de grillons et de passereaux noctambules. Shōichi, terrifié de honte après l'émotion de ce sourire, crut entendre la plus jeune chuchoter, narquoise :

— On dirait une grenouille noyée…

— Et toi un vilain nénuphar ! répliqua le visage de craie.

Mais l'étudiant avait fui vers Tsukiji. Au terme d'une course désolée, il se retrouva dans un quartier commerçant de Nihonbashi, à proximité du grand Pont des cinq routes. On lui avait un jour expliqué que depuis l'époque d'Edo, ce passage était l'abscisse et l'ordonnée : toutes les distances du pays se calculaient à partir de ce point d'origine. Sans motif autre que son dépit, il se dit que les cinq routes étaient ouvertes et qu'il pourrait s'en aller à sa guise, d'un côté ou de l'autre du pont, loin, le plus loin possible, jusqu'aux mers et océans, aux montagnes, là où les choses naissent et vous changent, puisque tout se lie et se délie. Tokyo n'était pour lui qu'un gigantesque tas de planches, de briques et de ferraille aux relents de marée, loin des fleurs et des saules de son enfance. Pourtant, à l'écart des grands axes, Shōichi s'étonnait des jardinets et des maisonnettes de pêcheurs qui se succédaient sans ordre le long de ruelles torses et pentues où les pousse-pousse semblaient dégringoler. Plus loin encore, après une déambulation somnambule, se dressa un sanctuaire shinto aux toits multiples, toutes lanternes allumées. Il se souvint être passé devant cette imposante construction élevée du temps de la guerre civile, en mémoire des soldats morts pour l'Empereur. Avaient-elles été recueillies au sein miséricordieux du bouddha, toutes les autres victimes, féodaux et suppôts du shogunat bannis du royaume d'Amaterasu ?

Égaré du côté de Chiyoda au milieu de la nuit, le jeune homme chancelant de lassitude se demandait s'il ne devait pas plutôt s'asseoir sous un auvent et attendre l'aube. Demeure illimitée parcourue d'escaliers et de corridors devant des chambres closes, la ville le tenait à distance. Elle l'excluait. Dans sa bourgade natale, toutes les portes restaient ouvertes ; les serrures là-bas ne servaient qu'aux secrets des cœurs.

Taneda Shōichi atteignit la lisière floue d'un parc au détour d'une muraille d'immeubles. La respiration tranquille des arbres lui rendit un peu de vigueur. Il approchait de son gîte assurément, à en croire cette senteur inimitable de marécage, d'épices et de fleurs écrasées. Au-delà d'une passerelle jetée sur les eaux huileuses du canal, à l'angle d'un boulevard animé et d'une ruelle déserte où tonitruait un de ces véhicules à moteur derrière les attelages de chevaux effarouchés, il aperçut la lanterne d'une auberge en retrait, entre deux échoppes de socques et d'accessoires de ménage aux devantures protégées de filets de pêche. Sans réfléchir, comme on passe du sommeil au rêve, il poussa la porte de l'établissement. Un bruyant *Youkoso !* l'accueillit, vite accompagné de rires ; la musique étouffée d'un phonographe moulinait une rengaine occidentale. La fumée des kiseru et des brûleurs d'encens planait à mi-hauteur de plafond comme un brouillard de montagne. Autour de tables basses, accroupies, des silhouettes ramassées de magots jouaient aux cartes à fleurs en buvant du saké. Au bout du comptoir où s'arrimaient deux filles lasses, une vieille femme vêtue d'un kimono sombre était accoudée contre le tiroir-caisse. Un turban piqué de fausses perles au ras des sourcils, elle dévisageait le nouveau venu avec une grimace polie. Juchées sur leurs tabourets, les filles buvaient du saké chaud en carafe l'une d'elles, paupières closes, était d'une insolite beauté toute voilée de mélancolie. D'un coup d'œil, Shōichi avait remarqué l'étrangeté de l'endroit, ses coins obscurs où tremblotaient des veilleuses, son escalier à vis au socle décoré de dragons blancs à trois griffes d'écaille, les grands portraits de geishas d'un autre temps suspendus aux murs. À peine visible à travers le papier huilé des cloisons coulissantes, sur tout un pan de la pièce, un ballet d'ombres évoluait sous une lumière accrue tandis que le gramophone ne cessait d'expirer. Conscient de l'incongruité de sa présence, Shōichi cette fois ne voulut pas décamper. La honte n'est qu'un sentiment, une pensée sans langage, se disait-il en s'enfonçant les ongles au creux des paumes.

Maigre et déhanché, le garçon du bar revenu de l'arrière-salle vint sautiller joyeusement devant lui ; une particularité de sa physionomie rassura vaguement l'étudiant : il portait de grosses lunettes à double foyer. Devant son air plus goguenard qu'interrogateur, Shōichi n'hésita plus.

— Un pichet de saké ! s'écria-t-il d'une voix suraiguë.

Les filles tournèrent vers lui un regard de naufragées pensives tandis que la vieille dame à sa caisse hocha la tête avec approbation. Par petits verres successifs, le flacon en céramique fut vite tari et Shōichi, étonné que cette eau nuageuse à peine plus piquante que le lait de noix de coco eût pu si vite le tranquilliser, renouvela sans tarder sa commande.

— Le saké est le meilleur remède entre mille, déclara le serveur à lunettes.

— C'est un remède pour mille bobos ! ajouta l'une des filles en clignant de l'œil.

Tout en avalant le contenu du gobelet, Shōichi acquiesça sans bien entendre. Sa tête tournait privée d'appui, mais un bonheur ineffable, comme il en avait connu enfant au milieu des pousses d'herbe et des arbres en fleurs, réchauffait ses entrailles du cœur au bas-ventre. Il pensa à Tsuru, sa grand-mère, qui vieillissait de conserve avec le robinier au domaine de Sabare, à son père inconséquent, à son petit frère Jiro désormais en pension au collège impérial de la préfecture de Yamaguchi, et de fil en aiguille, au jeune professeur Aguri mis à pied de son fait alors qu'il lui avait tant appris. Sa faute étant d'avoir cherché un maître exclusif, il le savait. Le charitable Aguri, constatant sa détresse, lui avait transmis les trésors du waka depuis Sosei. C'est grâce à lui que son penchant pour écrire allait prendre tournure bien des années plus tard. Mais qu'était-il devenu ? Et les autres, toute la fratrie, sa grande sœur Sen dont personne ne donnait de nouvelles ?

Quand le flacon fut presque vide, Taneda Shōichi, ses verres de lunettes embués, ne vit plus que des brumes colorées alentour. Les joueurs de cartes assis en tailleur et les danseurs, de l'autre côté des cloisons translucides, formaient deux univers bien distincts. Mais trois notes de shamisen succédèrent aux valses grinçantes du phonographe ; une voix de femme s'éleva, très pure, et les cordes pincées de l'instrument furent bientôt accompagnées par la flûte et le koto. Cette musique se répandit d'un monde à l'autre, si bien que les magots fumeurs de pipe sortirent peu à peu de leur prostration autour des tables basses.

Hélas, hélas, ô tourterelle
Ne t'en va pas cueillir les mûres
Hélas, hélas, ô jeune fille
Des garçons ne prends pas plaisir

C'était une rengaine chinoise infiniment triste, Shōichi l'avait souvent entendu fredonner par sa grand-mère. Il fut plus surpris encore de reconnaître, à la suite, cette très antique chanson d'amour à l'adresse d'une inconnue croisée par hasard, et l'envie de pleurer lui noua la gorge quand le yueqin égrena la mélodie avant toute parole. Dans son ivresse, il se remémora les nuits d'esseulement où, semblable à la jeune fille de la chanson, sa mère lui était apparue inopinément en songe et comme il s'était précipité avec l'immense joie inquiète de celui qui pressent l'illusion bientôt évanouie dans l'éveil.

L'étudiant essuya ses lunettes et observa le fond de sa carafe avec un rire rentré pareil à un sanglot. Le saké était une sacrée découverte, une manière de puits ou d'oasis dans le désert. Ce liquide nébuleux l'affranchissait des secrets navrants traînés depuis l'enfance. Sans qu'ils eussent disparu, aucun de ses tourments ne l'affectait plus vraiment. Ni l'énorme malaise de n'avoir qu'un sac de riz pour corps à son âge, ni cette culpabilité de n'être pas l'élève émérite espéré par un père qui finançait ses échecs. Non plus sa nostalgie d'un petit coin de pays natal dans le sud-ouest de Honshu que cet affolement au creux du plexus quand le rattrapait la monstruosité d'une solitude intraitable.

Pour l'heure, la voix expirante, il voulut commander un troisième flacon.

— Allons, allons ! lança la vieille derrière sa caisse. Vous avez assez levé votre verre à la lune. Il y a d'autres distractions…

Honteux, Shōichi hocha la tête et sortit son portefeuille, exhibant de quoi s'acquitter d'un tonneau d'alcool. Les accents enamourés de la chanteuse, invisible de l'autre côté des cloisons, l'emplirent soudain d'un intense sentiment de frustration.

Toute seulette
La belle enfant qui passe
Aurait-elle un époux
Ou seule dormirait-elle

À ce moment, il y eut des rires d'excitation et de raillerie parmi les joueurs de cartes. L'une des filles du bar, celle aux paupières closes, s'était dirigée vers l'escalier à vis avec une grâce instable de pantin. Shōichi fut frappé par sa maigreur d'oiseau de mer et la pâleur de son beau visage inexpressif. Par quelle sorte de pudeur gardait-elle toujours les cils baissés au milieu de cette assemblée graveleuse ? Quand son pied droit heurta la première marche, des quolibets fusèrent. Subitement, l'étudiant comprit que la jeune femme ne soulèverait jamais ses paupières, ou alors pour ne rien voir. De nulle part, au fond de lui, claqua une sentence du Tao : « Devant tes yeux, il n'y a rien. » Comment souffrir un instant de plus l'odieuse compassion de l'ivresse en ce monde démuni ?

Sans oser monter
tout le monde la regarde
la putain aveugle

Encouragé par les mimiques insidieuses de la tenancière, Shōichi se détacha du bar et, sous les rires accrus des buveurs, s'engagea à son tour dans l'escalier tandis qu'un pan de kimono disparaissait déjà entre la trappe et l'ultime volute de bois.

Même la solitude s'apprivoise. Taneda Shōichi était retourné à Sabare après cette première année calamiteuse à l'université Waseda. L'abandon de ses études, il l'avait attribué à un état dépressif paralysant ses facultés, lesquelles depuis longtemps s'épanouissaient ailleurs. Son père s'était montré magnanime. Un homme responsable de la noyade de son épouse a toutes les indulgences pour un fils sans désir de vivre qui n'aime que marcher dans le brouillard, recevoir la pluie, se réveiller le visage couvert de rosée, aller vers l'eau pure afin d'y voir le reflet de son esprit. Taneda-dono avait beau répéter qu'on ne construit pas un monde avec des haïkus, la poésie avait pris pour lui la place des projets et des conquêtes – la poésie et le saké dont il s'était fait un deuxième sang, plus fluide et chaud dans ses veines aux heures où monte l'angoisse des gouffres.

En ces années-là, l'Empire nippon victorieux de la Russie s'était implanté en Mandchourie et sur une partie de l'île de Sakhaline après un long conflit meurtrier. Cette euphorie conquérante changeait peu de chose à l'économie rurale. Dans ce coin de Sabare, les frasques d'un propriétaire terrien étaient plus dommageables qu'une conflagration au-delà de l'archipel. Aussi flambeur que piètre gestionnaire, le maître des lieux dut céder ses terres une à une, d'abord les belles forêts d'érables aux portes des montagnes, puis la plupart des champs à grains et des entrepôts annexes, enfin les trois quarts des biens immobiliers avec plusieurs familles attachées de longue date au domaine. Il avait pu néanmoins sauver les rizières, la demeure, ainsi que l'espace fermier circonscrit par le puits, le vieux robinier et l'autel. Riche de sa maison de bois noir, la vieille Tsuru considérait le désastre depuis la marche de son genkan où plus grand monde ne venait ôter ses souliers. Son gendre donnait toute l'apparence d'un commandant de bord qui découpe la voilure en pleine mer démontée. Qu'allaient devenir ses fils ? Désœuvré, l'aîné passait ses jours à errer entre rivages et montagnes, un livre à la main. Une servante avait rapporté qu'on le voyait parfois revenir titubant du deuxième village sur la côte, où, prétendait-on, un ancien pêcheur unijambiste fournissait aux amateurs vin vieux et femme mûre en portant des toasts au requin bleu qui l'avait estropié. Sa disposition à l'alcool, Shōichi ne la cachait aucunement et se moquait bien du mépris des humbles. Face à la situation délicate de la maison

Taneda, son frère Jiro en éprouvait de la colère et un profond chagrin. Qui relèverait les vestiges du domaine de leurs ancêtres ? Plus que jamais affamé d'aventures, leur père courait les auberges aux quatre coins de la préfecture : puisque toute rencontre promet la séparation, il délaissait ses maîtresses indolemment et retombait amoureux la nuit suivante. Moins dissipé l'hiver à cause de l'enneigement, il prenait davantage la mesure d'une proche déliquescence. Quand son intendant terrorisé par les lettres de créance qui s'accumulaient lui rendit ses registres dûment mis à jour et exigea les arriérés de son salaire, Taneda-dono dut se faire une raison. Le reliquat de ses activités de propriétaire agraire, il le déléguerait à son fils Jiro, le plus apte à montrer un peu de bon sens dans la gérance de ses prodigalités. Sans génie particulier pour l'exploitation des céréales, légumes secs, plantes potagères et tubercules, lui-même s'était convaincu d'aller tenter fortune ailleurs.

L'idée lumineuse advint lors d'un dîner de fugu, spécialité audacieuse, en tête à tête avec sa dernière conquête, sur la terrasse d'un restaurant de Shimonoseki, à la pointe sud de l'île. Faute d'un vrai saké du genre koshu, on leur avait servi cette boisson blanche peu alcoolisée qu'on aime offrir à l'occasion de la fête des poupées et des petites filles. En mal d'ébriété, Taneda-dono en but des carafes et cherchait à briller devant sa conquête.

— Saviez-vous que la recette de l'amazake a été révélée par une figurine de papier à un pauvre brasseur pendant son sommeil...

Ces mots à peine prononcés, Taneda-dono fut saisi d'une sorte d'illumination, laquelle évolua en durable projet puis en résolution au cours du repas. Il allait donc financer et fonder sa propre brasserie avec la collaboration de Shōichi qu'il devait absolument arracher à l'espèce de délaissement cafardeux où chacune de ses visites le voyait sombrer un peu plus. Affecté jusqu'au fond de l'âme par le spectacle de sa mère morte, son aîné n'en était pas moins un garçon délicat, débordant d'aptitudes. Il incombait à son père de l'extraire de son marasme.

C'est ainsi qu'avant la fête des morts, Taneda-dono et son fils résigné montèrent de toutes pièces leur entreprise dans la région des rizières, sur un contrefort du mont Izo d'où l'on pouvait distinguer la baie de Kh'anon et, par temps clair, les rivages escarpés de l'île de Kyushu. Établie sur le site d'anciennes fonderies à bas-fourneaux qui produisaient autrefois l'acier pour les sabres à partir d'un sable noir ferrifère, la nouvelle brasserie prit ses quartiers sous les édifices de bois et de briques restaurés, ainsi que dans une dépendance troglodyte à demi souterraine propice à la conservation et au vieillissement en fût. Taneda-dono recruta un maître brasseur d'Osaka appelé Chul-Moo, auquel il laissa le soin d'embaucher de bons ouvriers. Dans son nouveau rôle de contremaître, Taneda Shōichi devait assister en tout Chul-Moo et faire en sorte que l'entreprise tournât à plein rendement en l'absence de son père. Grand gaillard à la denture de fauve et aux arcades sourcilières en forme de fer à cheval, le maître brasseur s'amusa beaucoup des aménagements préalables de ses employeurs en termes d'outillage et de fonctionnalité. Il y eut de grandes dépenses pour tout remettre aux normes.

Bientôt la lubie de Taneda-dono prit véritablement corps. « L'échec est la base du succès », aimait-il répéter devant ses cuves et ses tonneaux. Une dizaine d'hommes de tous âges travaillaient rudement, chacun à sa tâche. Les uns réceptionnaient les sacs de riz brun transportés à cheval depuis les plaines et entreposés en aval de la rivière, d'autres s'encrassaient les poumons au polissage des céréales versées par quintaux dans d'immenses bassines métalliques. Puis venaient la coction en marmites avec l'eau pure de la rivière et la culture des moisissures kōji au gré d'usages plus méticuleux qu'une authentique cérémonie du thé. Après le polissage, le grain chaud devait refroidir plusieurs jours avant d'être lavé et trempé. Une fois cuit à la vapeur, encore tiède dans la salle du kōji, saupoudré d'une pourriture obtenue avec art, il attendra de fleurir puis sera placé dans des boîtes en bois de cèdre à bonne température et juste degré d'humidité. Le brassage de la pâte de riz dans les cuves demandait également des précautions d'orfèvre avant l'incorporation d'autres levures, cela lors du premier chauffage qu'une vive fermentation supplantera avec ses efflorescences de mousses successives. Les dosages, les mélanges, les ajustements, la qualité des éléments fongiques, les diverses mises au repos, les températures, le mûrissement, la montée des arômes, toutes ces étapes captivèrent un temps Shōichi qui y voyait une alchimie sans pareille, en particulier dans la phase finale. Mais il ne se souciait que de loin de l'organisation du travail et aux rapports de productivité. Les histoires que se racontaient les ouvriers, aux heures de relâche, avaient pour lui bien plus d'intérêt. Chul-Moo n'était jamais à court de hâbleries. Il croyait tenir le fils de son employeur sous sa coupe en abusant d'une autorité roublarde, mais c'était davantage les bizarreries d'un esprit fruste comme un chariot de nomades qui suscitaient la fascination de Shōichi. L'homme disait appartenir aux Sanka, un peuple des montagnes vivant aux confins de l'archipel. « Vois-tu, lui confia-t-il un jour, personne ne nous connaît, on ignore qui nous sommes et d'où nous venons. Notre histoire remonte pourtant à loin, petit, des centaines d'années. Mon grand-père était forgeron ambulant, il savait réparer les outils des paysans d'en bas. On le payait en riz et en orge. Dans nos montagnes, il y a des cavernes pour dormir, des rivières poissonneuses, des forêts riches en gibier. La famille transitait avec les saisons, plus ou moins haut, souvent à distance des habitations. Nous vivions libres, sans papiers ni armes. Des Sanka, il y en a du nord au sud, à Kyushu comme dans le Tohoku. Nos persécuteurs, les casaniers, les fonctionnaires, n'y peuvent rien : les montagnes nous sauvent, on les connaît mieux que les replis de nos âmes vagabondes. Mais la vie devenait trop dure pour les vieux ; il a bien fallu s'habituer à vous et à vos méthodes de culs-terreux. Mon père, un veuf ivrogne, m'a vendu à un riche brasseur contre un tonneau de saké et une promesse : que je ne sois jamais son esclave. Beaucoup de fils et de filles descendent en plaine. Une vieille rivière ne manque jamais d'eau, sauf quand les paysans la détournent pour leur sale profit. Dans ce pays, ceux qu'on maltraite ont par chance les montagnes. Nous les Sanka, nous savons marcher des jours et des nuits sur les plus escarpées. Quand l'un de nous tombe dans un ravin, c'est qu'il doit poursuivre son chemin au pays de la nuit et de la mort… »

Shōichi écoutait les soliloques de Chul-Moo d'une oreille rêveuse, comme devant quelque antique acteur de nō égaré parmi ces cuves capiteuses. Dans la brasserie, tout le monde s'amusait bien de ses distractions. Aux ultimes phases de fabrication, le jeune homme inhalait les vapeurs des bacs et des chaudrons jusqu'à en perdre l'équilibre. À chaque cuvage, il multipliait les examens olfactifs et gustatifs, son choko toujours dans une manche. Des ouvriers le relevaient parfois tout à fait soûl, entre deux sacs de riz brun, riant du maître à travers son fils. « Les bienfaits d'un père dominent les montagnes », les sermonnait énergiquement une femme d'un certain âge aux seins de déesse nourricière dévouée au récurage des ustensiles.

La mère Engo s'était prise d'affection pour le petit maître. Elle le protégeait à sa manière par de longues caresses et des baisers. Sentencieuse, elle prétendait éloigner les démons à coups de sorts et n'eût pas hésité à réciter des sūtras à l'oreille d'un cheval. Dans sa simplicité de pauvresse, elle révérait en Shōichi un élu, malgré son air de hibou déplumé. À ceux qui moquaient son obédience, Engo répliquait par un proverbe ou l'autre. « Les dieux se posent toujours sur les têtes franches », proclama-t-elle un jour, sans trop saisir elle-même les subtilités de cette science des chaumières qui remplissait d'exordes son crâne laborieux. Même en état d'ébriété, le cœur envahi par la tristesse, Shōichi ne perdait rien des voix perdues.

Un après-midi du onzième mois, alors qu'il

gisait devant la grotte du vieillissement, son père venu à l'improviste le découvrit en présence d'Engo.

— Mais il est ivre mort ! s'était-il récrié.

— Non, il est mourant, lui fut-il répondu.

Ces paroles marquèrent durablement Shōichi. Sans doute aussi Taneda-dono qui ne s'autorisa aucun reproche lorsque son fils lui parut à peu près rétabli. Donna-t-il des consignes à son personnel ? Le fait est qu'on ne le raillait plus à tout propos pour son intempérance. Chacun des ouvriers s'efforça bien au contraire de le distraire par le partage de menus travaux ou de bonnes paroles.

Cet après-midi-là, sorti prendre l'air, Shōichi déjà ivre buta contre une racine d'arbre. En chutant, il ne se rendit même pas compte que son choko s'était brisé dans sa manche, si bien qu'une large empreinte de sang en forme de dragon cerclait son avant-bras anesthésié par l'alcool. Un moine mendiant en sandales de paille s'était présenté à la fin du jour, une clochette à la main, vêtu de l'habit informe du bouddha. La bruine dégoulinait sur son large chapeau conique. Nul ne sait pourquoi Chul-Moo, qui avait l'œil sur tout, suggéra au fils du patron mal dégrisé d'aller l'éconduire : on ne cuisait pas le riz de table dans une brasserie de saké !

C'était un vieil homme au visage d'enfant, très maigre, visiblement éprouvé par une longue marche et qui semblait avoir été poussé là par les coups d'épaule d'une bourrasque. Quand Shōichi vint s'excuser, la curiosité toutefois l'emporta. Il l'interrogea sur sa vie d'errant et les chemins parcourus. Amusé, le moine pèlerin retourna son bol.

— Je marche depuis ma retraite de la saison des pluies, voilà vingt-trois ans. Pour un misérable tel que moi, la vie est un durable guet-apens. Et puisque tu n'as rien pour remplir mon bol, je ne refuserais pas un peu de saké trouble.

Comme le coup de torchon annonçait une tempête qui pouvait très bien tourner en cyclone, le moine quémanda aussi une couche de paille à l'abri. Les vents du large se levèrent si brusquement que Shōichi revenu avec une bouteille et des oignons ne put qu'engager le vieil homme à le suivre. Ils s'engouffrèrent dans l'écurie où deux chevaux piaffaient entre les cloisons des stalles. Assis sur un coffre à fourrage, le moine but une longue rasade.

— Ça réchauffe ! s'exclama-t-il en reprenant sa respiration.

L'ouragan s'abattit avec une telle force que Shōichi accroupi dans la paille n'entendit plus que des bribes de paroles entre deux souffles tapageurs et sous les tambours continus de la trombe.

— Aucune inquiétude, disait le vieillard. La mort n'est qu'un battement de cils : rien qui nous concerne !

Mais ni lui ni Shōichi ne pouvaient s'empêcher d'observer les cieux obscurs où des dragons de suie tournoyaient dans l'entrebâillure du portail.

— Après ces jours de marche, ajouta le moine par plaisanterie, mes vieilles sandales de paille feraient un bon feu !

L'obscurité s'épaissit autour des deux hommes. Les chevaux, tout près, hennirent quand la planche plombée d'un auvent s'arracha dans un boucan d'orage. La bouteille une fois vidée, les paroles du mendiant s'égrenèrent alors, décousues.

— *Ma dozo dozo !* J'ai connu une jeune fille poitrinaire qui ne voulait pas être incinérée... Et que veux-tu que le suicide change au néant... non, je ne demeure nulle part... C'était en pleine saison des fleurs, même malade, elle aimait se promener sous son ombrelle... sans fin je vais, je viens... marcher, c'est mettre en avant tout ce qu'on ne peut emporter... une très belle fille, oui, elle n'en avait plus que pour une nuit ou deux... les voleurs d'ombrelles sévissent au printemps... Ah ! si je mourais sur ce tas de paille, qu'on me laisse dormir un peu avant de m'incinérer...

Aux premières lueurs du jour, après les rafales et les hennissements, quand le déluge s'amollit, Shōichi s'aperçut qu'il avait dormi et rêvé comme un supplicié bourré d'opium, croyant entendre une sorte d'ancêtre à tête d'enfant l'enjoindre à cent absurdités au milieu des démons déchaînés de la nature. *Rien n'est l'esprit et l'esprit n'est rien, tout ce qu'on sait ne vaut pas un cheveu, et si je l'arrache d'un coup, ah, réveille-toi donc !*

Il remit ses lunettes, hagard, le cœur battant, et regarda autour de lui. Le moine debout, des brins de paille accrochés à sa tunique, flattait le museau des chevaux parfaitement calmes. Sa clochette tinta quand il pivota de son côté pour saluer.

— Il est temps que je parte, jeune homme. As-tu remarqué le curieux tatouage en forme de dragon à ton bras ? On peut y voir aussi une fleur de lotus ou encore le hoo-hoo qui renaît de ses cendres…

Son vaste chapeau bien calé en haut du crâne, le vagabond ramena sa besace sur son dos d'un mouvement d'épaule, reprit en main son bâton et marcha vers la porte en bois que faisaient grincer d'ultimes sautes de vent.

— Merci, merci à toi, ajouta-t-il. Tu m'as donné à boire le meilleur saké de ma vie !

Taneda-dono, qui venait de congédier une geisha de Kobe bien trop jeune et follement belle, avait pris sa décision ; les affaires allaient de mal en pis et son fils aîné livré à lui-même ne pensait qu'à boire et à écrire d'affligeants haïkus. Par chance, Jiro avait la tête plus solide et l'aidait à maintenir leurs dernières possessions à Sabare, bâtiments et rizières. Travaillé par le sentiment de la fuite du temps, comme un sang clair s'écoulant d'une veine tranchée, Taneda-dono se mit donc en quête d'un parti convenable pour Shōichi. À vingt-sept ans, on était en âge d'avoir à son tour un foyer stable et des enfants. À cette pensée, il se mordit le poing devant la résurgence intacte des attitudes, de la voix si douce et du visage lumineux de la jeune fille tellement aimée jadis, et qui, après six ou sept mises au monde, délaissée, avait rompu toute réconciliation au fond d'un puits. Mais qu'était-ce donc qu'aimer ? Si l'amour avait un nom, il serait fatalement perdu. Le modèle de la défunte inspira néanmoins Taneda-dono dans son investigation matrimoniale.

La famille de Sato Sakino, plutôt démunie mais de bonne éducation, agréa l'offre de ce riche voisin, et comme leur fille était consentante, le mariage devant les divinités eut lieu aux premières feuilles rouges de l'automne 1909, peu avant l'assassinat du prince Itō Hirobumi par un patriote coréen. Lorsque les nouveaux mariés quittèrent le sanctuaire shinto pour se rendre à la propriété – après litanies, cérémonie des trois coupes et promesses consensuelles –, un fort orage chargé en grêlons mit en charpie les robes de papier et creva maintes ombrelles de fête. Détrempée dans son kimono blanc, Sakino ne manifesta aucun dépit, riant plutôt de cette suite mouvementée au rituel de purification. Taneda-dono, séduit par la grâce juvénile de sa trouvaille, plaisanta avec elle et les siens, leur promettant un bien meilleur saké que celui du prêtre pour le festin de noces. Pour l'occasion, il avait fait ramener des carafes d'alcool de riz pur et son plus fin koshu des grottes attenantes à la brasserie.

Dans la maison de Sabare, la boisson des dieux coula sans parcimonie. Rallié aux circonstances, le jeune marié ne manqua pas de s'enivrer au milieu d'inconnus à la face camarde qui l'observaient avec amusement ou défiance. Tsuru, fâchée de le voir dans cet état, l'attrapa par le bras :

— Tu as bu les trois coupes, maintenant ça suffit. Vos horoscopes sont merveilleusement compatibles. Regarde Sakino parmi les fleurs que j'ai moi-même coupées, pas besoin d'alcool pour l'aimer, cette petite.

Le ménage s'installa dès le surlendemain dans une grande maison de bois à mi-distance entre la brasserie et Sabare, en périphérie d'un bourg du bord de mer d'où l'on distinguait une chaîne d'îles rocheuses sous les colossales échappées des nues. Accaparé par un miracle, Shōichi en oublia de boire. L'amour physique ressemble à une naissance sans prise sur la vie réelle. Il découvrit la nudité de Sakino avec un tremblement d'extase et de panique. Dormir et rêver à côté d'un corps de jeune fille le submergeait d'une indéfinissable nostalgie. Quand il se penchait sur elle, la beauté des gestes animaux lui arrachait des larmes. La blessure de son cœur, il en retrouvait le secret sur ce ventre, comme le cri déchirant du coq sous un ciel étoilé. Lorsque son désir s'emballait, il voyait des ombres ailées se détacher d'elle. Puis, rompu contre son sein, peut-être endormi, continuaient de le traverser toutes sortes d'oiseaux, des écureuils, des carpes koï. Après l'amour, l'haleine prenait un goût de sang, les yeux de Sakino étaient des puits ouverts sur la nuit des entrailles. Il baisait ses petits pieds en prenant l'univers à témoin : quelle tyrannie de beauté, là, juste entre ses mains, et plus haut, plus haut, contre ses lèvres brûlées ! Des semaines entières, jusqu'au mois sans dieux où fut assassiné le prince, Shōichi demeura en adoration. Pour la première fois de sa vie d'adulte, une créature semblable à lui, mais accueillante comme un jardin de pensée et de chair, le laissait dans l'oubli, à l'écart de ses cauchemars et des choses vues en songe.

Mais les semaines et les saisons passèrent ; une nuit de pleine lune, aux beaux jours, Taneda Shōichi qui s'était remis à boire prit le corps de sa femme enceinte avec une telle violence qu'elle cria étrangement. Il aperçut ses grands yeux ouverts sous le rayon de lune. Un frisson de fièvre s'empara aussitôt de lui ; la vague obscure de la mémoire allait recouvrir le beau jardin, noyant les vies inconnues. C'était les yeux de sa mère morte qu'il venait d'entrevoir si subitement, sa mère, nue et dégoulinante, par un jour de grand soleil.

— Qu'y a-t-il ? s'était exclamée Sakino. Tu as l'air d'avoir rencontré un fantôme.

— Un fantôme ? Je ne crois pas. C'est si mystérieux l'abandon. Personne, non, personne ! Et pourtant…

L'été 1912 s'acheva en crues et en orages. Yoshihito, le prince héritier, avait succédé à l'empereur Mutsuhito. L'ère de la Grande Justice commençait. De tout cela, du conflit monstrueux qui allait éclater deux ans plus tard en Europe, les poètes et les brasseurs de saké se souciaient alors fort peu.

La guerre déclarée à l'Allemagne, le pays la gagna promptement en chassant l'occupant de quelques tronçons d'archipel. Taneda Shōichi rentrait toujours aussi ivre des dépendances agricoles ou de la brasserie. Bientôt, l'infinité des tâches ménagères éteignit toute complicité entre les amants ; même ces délicieux dialogues chuchotés le soir s'étouffèrent au fond des gorges. Ken, leur fils né au printemps avec les fleurs des cerisiers, polarisa tout leur recueillement, en vivant petit autel consacré aux mânes des ancêtres. Quand, par exception, Shōichi revenait plus tôt d'un travail dont les fonctions fluctuaient au gré des initiatives inquiètes de son père, de plus en plus contraint par un amoncellement de dettes, c'était pour fêter le petit Ken. Il se disait en jouant avec lui que la félicité appartient au premier âge. Malgré leur soumission, seuls les enfants approchent d'une perfection transitoire. Tout ne leur est-il pas énigme et merveille ? Ils contemplent les mille apparences en pleine gratuité, du seul point de vue de l'esprit. Connaît-on rien de plus divin qu'un petit garçon balbutiant et riant, assis face au monde comme la plus charmante ébauche du bouddha ?

La ressemblance de Ken avec sa mère, fugacement captée dans les instants de distraction, soulevait en lui un vif remords au souvenir des jours heureux. Plus les saisons effaçaient les saisons, plus la vie au quotidien prenait figure de désastre. Trompé dans son désir, Shōichi s'enivrait pour arrêter le temps comme on se mutile afin de moins souffrir. Mais le temps emporte qui lui résiste avec une brusquerie décuplée.

Sakino avait perdu sa fraîcheur immatérielle et toute grâce à son égard. L'amertume à le voir se détruire peu à peu se traduisait en scènes pleines de doléances, de cris et de larmes face auxquelles il perdait tout aplomb. Il aurait voulu lui balancer hors de propos un fameux kōan : « Arrête ! Arrête ! Cesse de parler. La vérité ultime n'a pas besoin de mots ! » Mais nulle illumination à attendre, ni de sa part ni de la sienne. Aussi rentrait-il le plus tard possible, se consolant avec fièvre dans la poésie et le saké. En lui, toujours envenimée, saignait une plaie qu'aucun bonheur terrestre n'aurait pu guérir. Souvent, il se promenait dans les campagnes montueuses jusqu'à la nuit, un flacon d'alcool de riz dans la poche, par les chemins soignés des théiers, à travers maints vergers sauvages et les sylves des pentes. Il ne se sentait pas seul ; tous les poètes aimés chuchotaient à son oreille. C'est aux basques des ombres qu'il atteignait les contreforts où roulent les nuages dans un fracas de torrent.

Chaque marche solitaire ouvre le passage à une armée secrète. Les parcs repliés des temples, les pâturages, les potagers délaissés ou les enclos fleuris des pêcheurs libéraient par surprise de majestueuses perspectives. Au gré de son ascension, le paysage se débridait sous ses yeux en une succession de jardins lancés tels des lassos capturant horizons et sommets. Mais les vents du soir tout à coup s'ébrouaient dans les bouleaux des rochers, les érables, les tilleuls de l'amour, les magnolias géants. Rien ne pouvait plus le troubler sous le grand ciel. Même la pensée de sa mère s'atténuait dans cette solitude – simple douleur au côté gauche. Il se récitait à haute voix, pour lui et les oiseaux, des haïkus de Seisensui et de Hōsai, lus et relus dans les pages de *Sōun*, un magazine d'avant-garde tokyoïte. Son contentement d'avoir vu ses propres poèmes acceptés par la revue de Seisensui Ogiwara touchait à l'ineffable !

Selon l'usage, lui-même manquant d'idée sur ce point, on lui avait attribué d'office un nom d'auteur : Santōka. Comme les défunts partent avec un nom posthume, les poètes s'octroient volontiers un pseudonyme qui les sauve de la dimension domestique. Adieu donc Shōichi ! Pour la fuyante postérité comme pour le jour anonyme, il s'appellerait désormais Taneda Santōka… Mais Shōichi parvenait mal à mettre en consonance son nouveau nom avec ses haïkus si longtemps travaillés. Seisensui avait publié les moins conventionnels. Il lui recommandait dans ses lettres de délaisser le kigo et la règle des 5/7/5 syllabes aux sons indivisibles. Selon lui, style traditionnel et mot de saison avaient fait leur temps depuis Bashō, puisque nul – pas même Buson er Masaoka Shiki, inventeur vingt ans plus tôt du terme de haïku ou « bref divertissement » – ne put approcher la juste mesure de Matsuo Bashō :

Sur ce chemin
que personne n'emprunte
crépuscule d'automne

Oui, Bashō, qui dans ses carnets écrivait avec à-propos que le poète devait tout quitter, partir… « Ah, partir en n'emportant que son corps pour équipement ! » Seul sur les sentiers, la dentelle empourprée des montagnes dessinant mille kanji alentour, Taneda Shōichi était si exalté par la boisson qu'il avait l'impression de dialoguer avec tous les haïkistes du passé, la nonne Chiyo, Issa, Onitsura, Kikaku, Koyū-ni, Ryōkan ou encore Buson, lequel se moquait bien du mot de saison. Décidément, ce Buson n'était pas inférieur au maître des maîtres :

Ah ! quelle douleur
le peigne de ma femme morte
là, sur le tatami

Un couple d'éperviers planait sous un enlacement de nuées. Saisi d'une folle angoisse, Shōichi s'en retourna à pas vifs vers la plaine. Comme il aimait Sakino malgré leurs disputes ! Son corps d'ambre clair lui était plus précieux que tous les couchers de soleil. Et si elle s'était jetée dans le puits, par désespoir, à cause de sa conduite indigne ? Il courait maintenant, une main sur le cœur. Au loin, le sifflement d'un train lui rappela que son pays changeait avec le monde, que la guerre menaçait partout, et que lui, minuscule, n'était pas même capable d'assurer un peu de sécurité et de joie dans son foyer. Aux abords du village, un voisin occupé à déloger des chats amoureux salua l'homme pressé d'un très retors *shitsurei shimasu* :

— Permettez-moi de vous déranger, seigneur Taneda ! La soupe risque d'être froide...

Sakino l'attendait, tranquillement assise devant le brasero à charbon plaqué de palissandre qui lui venait de sa famille. Une vieille bouilloire de fonte, il s'en souviendrait plus tard, sifflait comme le train dans la campagne obscure. Effrayé par le silence de son épouse, il bredouilla :

— Ken va bien ?

Le sourire de Sakino l'apaisa de ce côté. Mais elle s'obstinait dans son mutisme et, stupidement, il voulut se justifier, s'énerva, exigea qu'on lui répondît, devint presque grossier, puis se démonta en excuses et en mots tendres. Tout en lui redisant son affection entière, il avala trois gobelets de saké, surpris d'être là, absent à lui-même, dans cette fadeur mystérieuse de l'intimité. Cependant il aurait voulu être consolé de sa propre désobligeance. À quelle étrangeté à soi faut-il accéder pour devenir aimable ! À ce moment, le kimono de nuit de Sakino s'entrouvrit sur un adorable petit sein. Troublé, il se retint d'en approcher la main devant la fixité de son regard. Elle allait parler, quelque chose s'animait autour d'elle, des ondes d'or et de charbon, comme une vapeur de santal ou un souffle longtemps retenu.

— Nous allons nous quitter, dit-elle avec aménité, demain ou après-demain. Notre vie de couple est devenue impossible, pour moi et pour Ken. Il faudra bien demander le divorce, tu pourras t'immerger tout entier dans cette liberté qui t'est si chère...

Au comble de l'émotion, Shōichi lui promit de se réformer : c'était inimaginable qu'ils se séparent ! Peut-on s'ouvrir la poitrine et jeter son cœur palpitant au vol désordonné des corneilles ou aux insectes ? Est-il concevable de faire le deuil d'un trésor plus précieux qu'une ivresse de trois mille jours ? Les richesses et les honneurs ne valaient pas une seule nuit auprès de Sakino. Ses lunettes ôtées, il l'embrassa à travers ses larmes avec tant de conviction que tout le buste de son épouse fléchit. Elle abandonna sa tête sur son épaule, sa somptueuse chevelure d'encre dénouée dans ce mouvement. Ils s'endormirent enlacés, chacun après son rêve, goûtant du bout des lèvres à la trouble douceur du répit. On entendait le vent battre les arbres et les cloisons de papier huilé à travers les claies de roseau. La face contre une nuque brûlante, Shōichi se perdit dans un dédale de faux éveils. Était-ce bientôt, la fête des poupées ? Les fêtes sont si tristes parce qu'elles aussi meurent avec les fleurs et les enfants. Il ne fallait surtout pas se quitter. Plus tard, quand l'âge viendrait, une lampe à la main dans la nuit brumeuse, ils iraient cueillir ensemble la dernière fleur de cerisier. Mais les épaules et les flancs de Sakino échappaient à son étreinte comme les vagues entre les bras du naufragé. Dehors, le vent dans les branches était bien de ce monde. Il eut un sursaut et ses paupières frémirent sur un demi-jour nimbant la peau nue de la dormeuse. Dormait-elle vraiment ? Shōichi crut se confier à la jeune fille d'autrefois, chuchoter à son oreille… *Réveille-toi, bel amour, les feuilles mortes, toujours, tombent d'autres automnes…* Mais chaque mot, chaque parole s'enfonçait muettement dans son rêve.

Les mois passèrent, tout un automne et un hiver. Rien ne s'arrangeait entre les parents du petit Ken, malgré ses efforts colossaux d'enfant de la discorde. Modérément affectée par la détresse de son époux, Sakino n'évoqua plus la conjecture de leur séparation. Quelque chose en elle réclamait le sursis ou la pause, sans plus d'espérance. Devenu membre à part entière du comité de rédaction de la revue *Sōun*, celui qui se faisait appeler désormais Santōka coupait son saké de nombreuses lectures de poètes frondeurs, le soir au coin d'une flamme, et s'essayait avec un certain bonheur au vers libre.

Ni l'accord russo-japonais qui précéda la révolution bolchevique, ni l'hécatombe des tranchées ou l'entrée en guerre de l'Amérique et de la Chine aux côtés de l'Entente, n'eurent davantage d'incidence sur les menus drames de la préfecture de Yamaguchi, pourtant si proche de la péninsule. Toutefois le directeur de la brasserie parut soudainement frappé de consomption. Ses traits s'étaient creusés en quelques jours. Employés et parentèle imaginèrent le pire : un mal incurable et foudroyant, présage de naufrage collectif. En vérité, Taneda-dono souffrait d'un secret bancaire impossible à garder : la faillite de la brasserie était imminente et ne pouvait que se répercuter sur tout le domaine. On allait probablement saisir la fabrique et d'autres biens immobiliers. Lui-même risquait un procès pour sa gestion calamiteuse. La famille Taneda au bout du compte était ruinée. Tout le monde put en faire l'amer constat quand le maître, un matin, s'enfuit sans laisser d'adresse avec l'une de ses amantes, abandonnant à leur sort ouvriers, enfants et petits-enfants. Désemparés, hors de toute prévision, ceux qui n'avaient pas encore déserté se rassemblèrent pour désigner Jiro, le plus qualifié pour gérer un pareil discrédit. Le fils cadet du banqueroutier parviendrait-il à sauver quelques parcelles du patrimoine au terme des diverses liquidations, même avec l'entremise d'un millier de dieux ?

Privés du jour au lendemain de ressources, Shōichi et Sakino décidèrent d'aller s'installer dans l'île de Kyushu, à Kunamoto, l'ancienne capitale du clan Hosokawa, où des parents lointains de la jeune femme avaient une dette d'honneur envers son défunt père. L'idée de Sakino était d'ouvrir un commerce, une librairie. S'ils trouvèrent sans mal un local bien situé au cœur de la ville, les fonds manquaient pour remplir les rayonnages. Aussi optèrent-ils pour une boutique d'encadrement. La bourgeoisie provinciale adorait les estampes présentées à l'occidentale, sous vitrage et boiserie. Grâce à sa patience et à son savoir-faire, Sakino parvint assez vite à dégager de petits bénéfices de l'entreprise. Shōichi faisait tout son possible pour l'assister ; le travail manuel ne lui déplaisait pas. Il appréciait le monde vague propre à l'ukiyo-e, source d'inspiration pour lui ; et il trouvait un certain plaisir à ajuster dans leurs cadres les paysages ou les scènes de genre d'Utamaro, le peintre des maisons vertes et autres artistes de l'époque d'Edo.

Cependant les bistroquets pullulaient dans cette ville ; on pouvait s'y asseoir devant une carafe de saké et observer à toute heure les petites fêtes de l'instant : un beau visage comme jailli d'une manche flottante, le gracieux fantôme qui passe sous les lanternes blanches, la lune comptant les feuilles jaunies avant qu'elles ne tombent... Quand il apprit par un courrier daté d'une quinzaine la mort violente de son frère cadet, Taneda Shōichi s'effondra en longs sanglots qui le secouèrent une journée entière sous l'œil indifférent de Sakino occupée à ses découpages. Le cœur brisé d'avoir laissé Jiro se débrouiller seul, il pleurait de rage contre tous les retards de la vie et les animosités du hasard. La lettre que sa grand-mère Tsuru égarée de douleur avait dû dicter en expliquait contradictoirement les circonstances. Incapable de pallier les aspects judiciaires de la faillite et d'éponger les dettes, Jiro se serait pendu à une poutre de la baraque du bodhisattva tombé en poussière au terme d'une interminable méditation. Dans la montagne d'Iwakuni, se reprenait Tsuru un peu plus loin, sans doute sur la suggestion d'un tiers. En tout cas à l'écart de la demeure familiale.

Cette missive reçue huit jours après l'incinération de son frère plongea Shōichi dans une langueur de deuil qui lassa vite son épouse déjà découragée par l'intempérance et l'infinie distraction d'un homme qui ne la regardait qu'à travers des espèces de loupes, comme un collectionneur d'insectes rares.

Pour quelques nuits à l'abri d'un ermitage des forêts où la présence humaine se limite à la rumeur voilée d'une autoroute et au passage des avions de ligne, je n'ai pas encore quitté les monts Kii. Les myriades de cerisiers en fleur se sont éteintes par vagues successives ; des vallées jusqu'aux plus hautes pentes, il a neigé longtemps au grand soleil et dans la touffeur embaumée des nuits. La plupart des touristes pèlerins sont repartis avec les derniers pétales. Puis les merles se sont abattus sur les fruits sans regret des fleurs. Par chance, la canicule n'atteint pas mon chalet solitaire, mais il monte parfois des plaines une haleine d'incendie. Demain ou après-demain, je reprendrai la route. Voilà près de deux décades que j'erre à travers les îles vastes ou petites, en quête d'un peu de sérénité. C'est bien dans l'exclusive compagnie de Santōka que j'aurai vécu toutes ces années, en vagabond de l'amour perdu, marchant dans ses pas avec au secret désœuvré de mon être la pensée toujours palpitante de Saori, depuis son apparition au Café Crépuscule, dans une ruelle de

Golden Gai. Le livre qu'elle écrivit avec tant de ferveur sur le moine poète – sans doute en étais-je le seul témoin – raconte tout autant son cœur de femme éprise, au point de se projeter dans cette vie hypothétique, d'apparaître intempestivement auprès du vieux pèlerin épuisé pour le seul motif de lui venir en aide au bord du chemin. A-t-on déjà lu une biographie où l'auteur, bouleversé des déboires de son héros, se permet d'y intervenir en protagoniste secourable ? Peu importe d'ailleurs, Saori n'a pas besoin de ces épiphanies pour exister dans chaque mot de son livre par un phénomène fabuleux de coprésence. Elle est si proche de moi aussi, que parfois j'en vacille. D'elle, je n'ai rien oublié, ses yeux de félin, très étirés sur les tempes, ses oreilles de nacre et son épaisse chevelure fixée par un joli peigne à motifs floraux au-dessus du crâne.

N'étant rien, dépossédé, il m'arrive de soupçonner ma déraison de Robinson de la marche à pied. Lorsque l'abandon à soi-même atteint une telle amplitude, il est normal qu'on finisse par emprunter les sentines de la mémoire et par se promener d'une époque à l'autre. Je me sentirai bientôt assez libre pour m'effacer au petit matin comme un collier de rosée sur le dos d'une chenille velue. Quel poids d'appartenance l'illusion accorde-t-elle au voyageur sans attaches ? Avec mon faux air de Taneda Shōichi, alias Santōka, ne suis-je pas moi aussi Shōichi, marcheur définitif dans ce malheureux XXIe siècle voué aux cataclysmes et à la terreur ?

Comme Matsuo Bashō allant dans la foulée de Saigyō, son aîné de six cents ans, Santōka s'était mis en route derrière ces figures illustres. À mon tour, en parfait inconnu inspiré par une déesse, je reconduis aujourd'hui d'un pas actuel la ronde des pèlerinages dans la merveille de l'instant, comme l'ombre d'une ombre d'une ombre... Égarant vingt fois mon bagage, spolié par des enfants, affaibli par les maladies, j'ai appris davantage de la marche à pied que de mes maîtres en sagesse. « Le voyage est ma demeure », disait si bien Bashō. Rude compagnon, je l'admets, que la solitude. Parfois, assis sur les cailloux d'une plage, j'en cherche un qui me ressemble. À la saison froide, le vent d'hiver renverse mon bol. La neige sur mon chapeau me rend invisible dans les champs de neige. Il arrive que mon ombre dîne tandis que je ronge un vieux rêve.

Mon bol
rempli de pluie
j'y boirai si j'ai soif

Quel merveilleux silence quand la cloche du temple dévolu à Kh'anon, la déesse de la Miséricorde, retient sa voix au fond des montagnes !

Mais revenons sans autre retard à ce singulier personnage que je n'appellerai plus Shōichi pour m'en distinguer tout à fait malgré les vœux de Saori – revenons à Taneda Santōka : c'est ainsi qu'elle le désignera désormais dans son livre après que l'industrieuse Sakino eut requis le divorce et exigé la séparation. La pire cruauté se cache entre les brins d'herbe et dans le cœur des amants. Sans doute est-ce la motivation profonde de la vie érémitique : échapper aux passions charnelles, à l'enfer des couples en tous genres, laisser loin derrière soi la guerre la plus funeste et destructrice depuis l'avènement de l'empereur Jimmu ou l'invention de la culture du vers à soie.

Ainsi donc, Santōka fit ses adieux au petit Ken et à la femme de sa vie. Grâce à ses relations dans le cercle des poètes d'avant-garde, on lui proposait un emploi d'aide-archiviste à Tokyo. À partir de la gare de Kunamoto où un tramway tonitruant le déposa, chargé comme un vendeur ambulant, les trains et le ferry se succédèrent. Quelques jours après avoir traîné sa malle au milieu d'une chambre à peu près vide, il prit ses fonctions à la bibliothèque Hitotsubashi. Rien de plus reposant et vain que de classer ouvrages reliés, volumes en feuilles et documents. L'endroit était immense, sombre, plein d'échos sourds d'une salle à l'autre. Le profond silence des livres se répandait en oscillations et tremblements de bas en haut de l'édifice. Gardiens des lieux, les mornes employés aux gestes brefs et mesurés évoquant les pages qu'on tourne et les couvertures précieusement rabattues évitèrent d'emblée tout rapport avec le nouveau commis. Sans doute lui reprochait-on ses parrainages en sus de sa mauvaise mine et de son haleine de saint buveur.

Santōka avait trouvé à se loger dans une pension du nord-est de Tokyo, au-delà d'une voie de tramways, entre les grands arbres du sanctuaire Togo et un quartier de plaisirs. La gérante de l'établissement, une dame Nugara aux yeux globuleux, toute secouée de tics, l'accueillit sans nulle réticence et même avec empressement. L'endroit, remarquable par son vestibule où chacun se déchaussait devant les luminaires d'un petit autel, recevait une majorité d'hommes jeunes, des étudiants, des voyageurs de commerce, des employés célibataires à son image. On y croisait aussi un couple singulier, presque siamois par le regard, des époux diaphanes en combustion permanente qui semblaient n'exister que par et pour leur relation amoureuse. Ils occupaient le troisième et dernier niveau du bâtiment, lequel était flanqué d'une aile à un seul étage reliée à l'escalier central, où Santōka avait sa chambre. La gérante, au rez-de-chaussée, ne perdait rien des allées et venues de ses locataires. Souvent, elle invitait l'un ou l'autre à prendre le thé dans la pièce à usage de loge. De temps à autre Santōka, qui ne savait guère se dérober aux gestes de courtoisie, se retrouvait malgré lui assis sur ses talons face à dame Nugara, ses tasses et sa bouilloire, étonné que, malgré ses tics et tremblements, pas un ustensile n'échappât à ses mains. Dans une autre pièce aux cloisons entrouvertes, un vieil homme impotent les observait depuis son fauteuil. À force de recouper les confidences de la vieille femme qui, par moments, d'une voix presque inaudible, prenait inutilement à témoin son mari cachectique, il fut saisi d'un profond malaise que la curiosité exaspérait. Ce genre d'histoires, il en avait lu – et même quelquefois traduit – chez des auteurs occidentaux comme Maupassant ou Tourgueniev. Dame Nugara se montrait tellement cérémonieuse et affable qu'on la devinait à la torture, au bord d'un aveu impossible. C'était une créature toute rapetissée par les années, minuscule, sans doute jadis épanouie dans sa chair à considérer ses grands yeux en forme de feuilles de magnolia et ses jolies mains très blanches. Elle ne cessait de remercier le nouveau locataire d'avoir accepté son thé et lui laissait à chaque fois entendre qu'elle espérait de longue date sa visite, alors qu'une semaine ne se passait pas entre deux invitations. Le thé servi, il n'était plus question que de leur fille Lio, de son extrême beauté, de la vie noble que la famille

Nugara menait autrefois, avant que les conjonctures la contraignissent à ouvrir cette pension à Tokyo. Les fiançailles de Lio par malheur avaient été rompues. Mais son fiancé, relatait la logeuse, n'en était aucunement responsable. Certaines circonstances de la vie vous séparent comme ces guerres en Asie qui n'en finissent pas. Elle ne manquait pas de souligner quel bonheur éprouverait son pauvre mari qu'une attaque avait foudroyé de voir Lio raccommodée et bienheureuse. Santōka ne comprenait rien à ces allusions et sous-entendus qui lui semblaient expressément adressés. Plus que tout l'intriguaient cette obstination à lui mettre entre les mains le portrait photographique de leur fille autrement disposé sur un bahut coréen en cyprès, et la jeunesse de cette gracile Lio au visage de porcelaine. Dame Nugara s'épanchait alors à son sujet, évoquant, des dentelles de larmes aux yeux, ces accordailles brisées, l'espoir qu'elle et son époux gardaient d'une réconciliation.

À vrai dire, malgré son malaise de témoin importun, l'accueil réitéré de ces braves gens le réconfortait. Son isolement avait pris les proportions de Tokyo. Il avait beau errer une partie de la nuit dans les quartiers animés du centre au sortir du travail, revivant l'époque de ses études universitaires avortées, la foule des visages glissait sur lui comme l'eau sur un pennage de palmipède. Peu soucieux de sa survie, il buvait la pluie de saison entre deux bols de saké, cherchant une vraie lumière parmi les luisances du gouffre nocturne. Mais parvenu aux limites des docks ou des canaux, les ombres s'enroulèrent dans les ténèbres et il s'affaissa, le cœur prêt à se rompre au milieu d'une dévastation de terrains vagues et de chantiers. Le vent noir sur sa face avait la fraîcheur de la mort. Pour combien de temps ? L'abîme talonne celui qui a manqué la marche de la vie, serait-ce une seule fois. Du fond d'un puits, une voix si douce l'appelait par son nom d'enfant.

Tête basse, les genoux fléchis, il repartit de plus belle, effaré par la cruauté de l'absence, le long des échoppes d'Asakusa, sous les lanternes peintes de kanji, battant le pavé autour du temple Sensoji, ailleurs encore, sans halte, dans les quartiers de Shinjuku ou de Kabukicho, entre les théâtres et les salles de jeux – il y avait assez de bars au fond des ruelles où s'enivrer au lieu d'aller se pendre comme son malheureux frère. L'évocation de Sakino et de Ken tordit soudain son épigastre. Le souffle coupé, il invoqua tous les dieux du sanctuaire Meiji-jingu en construction. Ne dit-on pas que les kami assistent les travaux qui les honorent et parfois même aident à la besogne ? Parmi les innombrables esprits embusqués, il en existait sûrement un, plus minuscule qu'un grain de riz, capable de réparer son cœur en lambeaux.

De retour à la pension après minuit, quand ce

n'était au petit jour, Santōka oubliait assez souvent de se réveiller. À la bibliothèque Hitotsubashi, son supérieur hiérarchique, un jeune faquin à fines moustaches et col blanc, lui notifiait blâme sur blâme pour ses retards inconsidérés, sa tenue vestimentaire déplorable, l'odeur alcoolisée presque inflammable qu'il traînait derrière lui, ou encore toutes ces heures perdues à compulser, voire à lire en secret, les précieux ouvrages des rayons consacrés aux Trois Trésors et au bouddhisme. Le règlement stipulait que le personnel de la bibliothèque affecté à l'archivage avait pour tâche exclusive la conservation et la gestion des collections, et en aucun cas la lecture du fonds à titre privé. Santōka d'ordinaire haussait les épaules, attendant d'être seul aux heures de pause pour reprendre à la bonne page les sūtras rapportés de Chine – certains par le moine Saichō de l'école Tendai, d'autres par l'école Kegon –, sūtras du Cœur, du Diamant, du Lotus ou de l'Ornementation fleurie. Tous les écrits inspirés du Bouddha. Le sūtra des Contemplations de Vie-Infinie, celui de la Lumière d'or. Les trente versets de la pensée unique de Vasubandhu. Les étranges disputes des bouddhismes mahāyāna et hinayana. Il s'intéressait plus spécialement au sūtra Lankavatara de la première école Chan : « En ce monde, dont la nature est comme un rêve, il y a place pour la louange et le blâme, mais dans la Réalité ultime qui est bien au-delà des sens et de l'esprit discriminant, qu'y a-t-il à louanger ? » Santōka concevait sans mal la non-dualité. Pourquoi tant souffrir alors des tenailles de l'illusion ? Maître des mantras et augure de la « parole réelle », Kūkai le passionnait plus qu'aucun. Ce noble devenu ascète régnait aujourd'hui encore sur les quatre-vingt-huit temples de l'île de Shikoku et dans la ville-monastère de Koyasan. Alors que la plupart des érudits, bonzes et autres bassinoires, méprisaient l'œuvre d'art, Kūkai lui accordait la faculté de transmettre cette vérité ultime scellant l'éveil. Ainsi, une misérable pièce de trois ou cinq vers pouvait concentrer des forces surnaturelles prêtes à envahir le lecteur réceptif. Treize siècles plus tôt, ce même Kūkai avait calligraphié d'admirables poèmes que Santōka recomposait mentalement à sa manière :

Si courts les jours en ce monde
D'un vif instant nul n'ajourne sa mort
En grande hâte, avec vents et nuages
On quitte la maison d'indigence
Et pour fuir l'incendie
D'aucun déloge du château de désir
Notre heure s'inscrit au noir registre
Telle une brume est toute vie
Aux mains du charpentier céleste

Oubliant le retour de ses collègues de la cantine, Santōka se délectait à arranger en langage plus actuel sentences de Dōgen ou kōan. Parmi ceux-ci, *la Barrière sans porte* le laissait décontenancé.

« Un moine demanda à Joshu :

— Un chien a-t-il la nature de bouddha ?

— De rien ! répondit Joshu. »

Comment connaître son propre cœur dans cet océan de vacuité ? Comment devenir bouddha avec ce corps de chien ?

C'est alors que le gandin à fines moustaches surgit à nouveau, flanqué cette fois d'un vieux monsieur aux mines dramatiques qui n'était autre que le conservateur en chef de la bibliothèque Hitotsubashi. Le lecteur clandestin fut vertement admonesté, avec la promesse d'une convocation au service du personnel. À la vue des ouvrages empruntés, son supérieur se permit même d'ironiser sur ses prétentions à l'érudition dans l'espoir d'amuser le conservateur. À peine concerné par l'agression, perdu dans ses pensées, Santōka retourna sans un mot à ses mornes attributions.

Le lendemain soir, muni de sa lettre de congédiement, il partit à pied en direction de la pension Nugara, trop agité pour se poser sur un siège de tramway ou de voiture à chevaux et bien incapable de se décider à rentrer. Il avait appris la mort de Tsuru le matin même et se souciait peu de son renvoi. Sa grand-mère en disparaissant emportait la moitié d'un royaume avec elle. Il se sentait d'un coup projeté dans le vide, sans appui nulle part. À déambuler des heures et des heures dans la ville, l'esprit détaché de sa cervelle, était-il si différent des moines marathoniens tournant sans fin autour du mont Hiei ? Pour que la marche lui fût une ascèse, encore aurait-il fallu oublier Tokyo, toutes ces belles femmes qui bâillaient, avouant leur fardeau, ces mendiants scrutant les mains des passants, ces vieilles rosses soumises à des charrois d'enfer. Il regrettait tellement son village natal, celui d'autrefois, le chant des planteuses de riz au printemps, les feuilles mortes venues d'on ne sait quels arbres inconnus au creux des haies, les laboureurs comme appuyés sur leur ombre pour ne pas s'écrouler d'épuisement, et toutes ces montagnes bleues ou mauves – indivisible spectacle au réveil !

Alors qu'il pleurait à chaudes larmes, un personnage titubant vêtu d'un vieux smoking l'apostropha avec frénésie depuis l'autre trottoir :

— Diable ! Un « sommet brûlant » en vue ! Serait-ce donc toi, Santōka !

— Hōsai ! se récria avec une sourde gaieté son interlocuteur en se grattant l'oreille.

— On boit un pichet en face et je te transporte de ce pas chez notre cher Seisensui Ogiwara ! Il y aura tous nos alliés…

Les deux poètes furent bientôt côte à côte sur

ce pont de jade qui traverse les villes, parfaitement invisible aux foules, au fil duquel des sortes de funambules intérieurs se déplacent avec une grâce de cigogne ou de héron huppé.

— Seisensui se chagrine de tes absences au comité de la revue !

— Il n'est pas le seul à se plaindre de mon peu d'assiduité. On m'a viré de la bibliothèque…

— Nulle inquiétude ! Notre bienfaiteur te trouvera bien un poste d'agent à l'hôtel de ville. Comment crois-tu que je sois devenu chef du département des contrats à la Tōyō Life Insurance ? Mes collègues de bureau m'ont surnommé l'éponge à saké ou le fabricant de buvards !

Après quelques haltes dans les bars des ruelles, Hōsai Ozaki et Santōka se présentèrent fin soûls chez leur hôte. Habituée aux fantaisies des artistes en tous genres, l'épouse d'Ogiwara, mince jeune femme à la lourde chevelure tressée, les accueillit sans façon dans le vestibule. Par force d'obligeance, les deux complices se comportèrent néanmoins sans trop d'excès de gestes et de paroles. Seisensui tenait son monde avec aménité dans un vaste salon à l'occidentale. Les murs étaient couverts de livres en rayonnages et de tableaux anciens et modernes. Gens de lettres et membres de la revue *Sōun*, les convives assis ou allongés partageaient des carafes de saké autour de tables basses.

— Il y a ceux qui brûlent et ceux qui font des économies de petit bois ! lançait un jeune homme exalté, visiblement désireux d'opposer sa flamme aux poètes officiels.

— On peut sans honte appliquer aujourd'hui encore la leçon de Bashō, répliqua avec une certaine componction un chroniqueur littéraire de la vieille école.

Le pimpant haïkiste en herbe ne fut pas long à riposter :

— Le corbeau qui se balance sur un bananier, que sait-il de Bashō ?

L'assemblée s'esclaffa, réjouie par l'allusion. On voulut porter des toasts aux nouveaux venus, à Taneda Santōka en particulier, connaissant ses multiples déboires. Comme ce dernier, gêné, s'en défendit bruyamment, une femme de lettres inspirée leva sa coupe et en appela au silence :

Ni toast, ni compliments
avec Santōka, partageons
le goût du saké

Dans la torpeur d'une soirée d'été, agacé par les moustiques des lagunes, que faire de soi à Tokyo quand le cœur bat trop vite ? La mort de Taneda-dono à la fin du printemps, il l'avait apprise peu de jours après les funérailles par un curieux hasard – comme si les trépassés poussaient du coude leurs messagers. Figure blanchie par les acides du temps, un ancien du cercle politique de Sabare, en visite à la capitale, s'était en effet retourné sur lui dans la rue l'air navré pour lui prodiguer ses condoléances : « Comment, vous ne saviez pas ? Votre père, si jeune encore et qui vous aimait tant... »

Quelques mois plus tôt, tandis qu'on s'apprêtait à l'incinérer et le mettre en urne, là-bas, au pays de naissance, Santōka avait démissionné de son poste d'employé municipal, écœuré par les humiliations de la hiérarchie. Mais une fois délivré de l'insondable vacuité des tâches qui le harnachaient chaque jour de sa vie, son état dépressif empira avec la ronde des bars. À quarante ans, en fugitif de lui-même, du matin au soir et les nuits de pleine lune, il parcourait l'immense cité de planches, de briques et de pavés, ces entassements de baraques des faubourgs ouvriers sous les bannières et les lanternes où fumaient partout les braseros des tables à cuisson, les temples et les sanctuaires, toutes ces maisons coutumières en bois peint, les beaux immeubles de fer et de pierre entre les docks du port où, découpée dans l'azur au détour d'une avenue, se profilait la haute silhouette des paquebots du bout du monde. Quelques économies lui suffisaient pour réfléchir au proche avenir. À la pension, dame Nugara lui accordait toujours de menus privilèges, comme son thé sucré aux feuilles d'hortensia et des sachets de friandises à l'occasion de la fête des fantômes ou des poupées. À la longue, au fil des années, il avait bien fallu reconnaître chez elle un certain dérangement de l'esprit. Santōka comprenait sans mal qu'on lui dispensât l'éloge de Lio presque à chaque visite. Lio était leur fille unique et quelle autre affection pourraient avoir deux vieilles personnes aux désirs anémiés ? Mais ces histoires de fiançailles n'avaient cessé de l'intriguer. Et d'ailleurs, où vivait-elle ? Pourquoi n'apparaissait-elle jamais ? Un moment, lui-même spolié dans sa chair, il avait ressenti pour elle, pour sa photographie richement commentée, les premières démangeaisons du trouble amoureux. Cependant la logeuse et son conjoint invalide accueillaient plusieurs autres pensionnaires pour la tasse de thé vrai ou faux et les sucreries rituelles. Les escaliers où l'on se croise et décroise finissent toujours par trahir les secrets de famille. Ainsi l'avait-il appris entre deux paliers : Lio s'était jetée autrefois sous un tramway, bien sûr à cause de fiançailles rompues. Et chaque locataire invité à boire le thé – lui et les autres hommes de la pension – prenait aux yeux de cette vieille folle le visage du promis revenu après des années de discorde. Elle et le paralytique jouaient pour chacun la grande scène cryptée de la réconciliation, comme si Lio devait inévitablement épouser l'élu de passage, celui-là ou un autre, tous engagés pour un même rôle dans cet interminable nō de loge. « Fleur d'hier, rêve d'aujourd'hui », disait un vieux dicton…

Les fins d'été sont comme la remontée d'un long fleuve d'adieu. Ce samedi 1er septembre 1923, un beau soleil s'élevait sur les toits de Tokyo. Santōka arpentait les rues en titubant après une nuit de soûlerie : il avait bu tout le vin noir de la nuit, l'esprit hanté par cette illusion de jeune fille. Lio, longtemps contée, était devenue sienne à son insu, comme une héroïne au fil des mots. Et il devait, maintenant dessillé, en porter le deuil.

Un haïku d'Issa lui revint en mémoire :

Auprès du foyer
son sourire de la veille
était un adieu

Aussitôt reflua en lui le souvenir de sa mère. Comment avait-elle pu l'abandonner ainsi ? L'eau du puits où elle s'était noyée, il l'avait bue le lendemain et tous les autres jours. Morte si jeune, elle s'identifierait à jamais à la femme qu'il aurait pu aimer, à Sakino, à cette Lio inconnue. Au fond de l'urne, dans le caveau de famille, peut-être restait-il un cheveu de sa mère ?

Il marchait sur la chaussée, de droite et de gauche, évitant les fardiers aux charges monumentales à l'épreuve du galop et les camions puants qui toussaient comme des bœufs phtisiques. Inquiet de le voir ainsi exposé, un jeune cycliste lui fit signe d'une main de poupée. Des odeurs de cuisine se répandaient hors des gargotes et des foyers modestes. C'était un jour ordinaire dans les yeux des passants. Santōka voulait seulement rentrer chez lui et dormir. Tout advint en quelques secondes, monstrueusement. Juste après le coup de canon de midi sur la redoute du Château impérial.

Il y eut un brusque envol de pigeons, comme une palpitation de fontaine dans l'air immobile, puis un grand vacarme souterrain. Mer soudain agitée, le sol parut ondoyer un instant, dans un faux ralenti. Craquement de mille foudres, toutes les jointures solides explosèrent sous terre et dans les cieux. La ville se renversait tout autour de lui.

Tokyo disparaissait par quartiers entiers ; constructions d'allumettes, les maisons de bois s'affaissèrent les premières, par centaines, par milliers, à proximité et partout, au loin, sur les horizons délivrés. Et les ponts, les silos, les usines sous des tornades de poussière, les immeubles de pierre en rafale, laissant dressées çà et là des murailles où s'accrochait la ferraille d'escaliers. Comment dire l'énorme spasme de la terre qui s'ouvre et se morcelle en béances, murs qui s'entrechoquent, machineries en tous genres distordues au milieu d'éclatements et de fulminations, depuis les docks jusqu'aux gares intérieures, aux usines des friches, aux minoteries et fonderies, toutes structures broyées et concassées par les gueules de l'enfer. Puis, dans un sursaut d'apocalypse, d'autres secousses parachèvent le chaos…

Santōka, à genoux, s'est redressé avec précaution. Un geste de trop et le reste du monde eût basculé. Effaré d'être en vie, les pieds secoués de convulsions, il a cru un instant subir quelque attaque cérébrale. La réalité du séisme lui saute à la gorge. Tout se démantèle. Les écailles de roche des îles tremblotent habituellement sans dommage, mais l'échine du dragon cette fois se soulève avec une brusquerie démente. Des tuiles, des cheminées, des briques, des plaques de ciment ont volé sens dessus dessous. Est-ce l'univers qui se mouche et se gratte ? La plus informe chimère se débat contre l'emprise d'un rêve plus monstrueux encore.

Santōka, terrifié, songe aussitôt à Ken et à sa mère – mais Honshu était vaste –, à ses amis, plus près, dans les plaines de Kanto, aux amoureux de la pension Nugara, à ce jeune cycliste croisé sur la route. Combien de visages écrasés ? Et les sanctuaires, et tous les trésors des bibliothèques ? Soudain l'horreur s'impose à lui sans détails : tout est détruit ; sur Tokyo abattu, des tourbillons de fumée noire où palpitent d'immenses flammes s'élèvent un peu partout tandis qu'un vent de tempête gronde et fulmine. Provoqués par les charbons ardents des braseros sous les décombres de planches, les départs de feu prennent vite une ampleur d'incendie. Attisées par l'ouragan, les flammes géantes se répandent et s'unissent à des lieues, embrasant la ville tout entière. Les chiens et les humains captifs hurlent à la mort. Des geysers jaillissent de canalisations. Deux chevaux entravés par leur harnais parcourent de biais les ruines. Une femme aux cheveux en feu, un bras sectionné, court et chute dans un égout béant. Au milieu des appels au secours enfin audibles, des cris de douleur et d'épouvante, une cohue de panique se dégage peu à peu des ruelles bouleversées ou des rares édifices encore debout et se précipite vers les chaussées plus larges. Les uns cherchent leurs proches, fouillent les gravats, d'autres fuient à l'aveuglette ou se cognent contre chaque obstacle tandis que de nouvelles secousses ajoutent à l'effroi.

Espérant regagner la pension, Santōka déambule à travers les naufrages d'un rêve. Impossible de demander son chemin aux passants hagards, ensanglantés, comme réchappés d'un champ de guerre. Il lui semble reconnaître quelques monuments indemnes, à distance, phares au hasard d'un océan de fumée. En état de choc, il erre dans les désordres d'une mémoire décapitée sous les remous du ciel. Ces petits coins de terre où ses pieds se meuvent lui resteront-ils assez hospitaliers ? Mais on meurt autour de lui, les enfants et les femmes, les animaux transformés en torches. La mort est un petit chien qui mordille ses puces. D'autres tentent de s'extirper des tôles et des gravats. Sur les toboggans du bitume, les véhicules renversés laissent voir des visages aux grands yeux fixes. Des cadavres carbonisés chutent des fenêtres comme de grosses chauves-souris endormies. Neige d'un incendie noir, les cendres des temples et des maisons de bois retombent sur les rails tordus des tramways, les arbres déracinés, les souliers perdus, les amas de briques, les cadavres aux postures bouffonnes, les fleurs des jardins. On entend crépiter les flammes derrière ces vestiges. Rien n'arrête les dieux du vent et du feu. Comment est-ce possible ? Il y a quelques minutes : Tokyo

– et soudainement, cette plaine embrasée ! La ville en robe de papier s'est consumée au premier tremblement. Les fumées montent et se concentrent très haut, plus denses que les nuages. Des sirènes de véhicules à pompe tintinnabulent quelque part. Inutile, la cloche d'un temple sonne au loin. Toujours à divaguer dans le malheur absolu, perdu, les yeux pleins du sang des pauvres gens, Santōka invoque presque malgré lui Bashō pérégrinant d'une montagne sacrée à l'autre sur les pas d'un maître d'antan.

Pour admirer les fleurs
marcher cinq ou six lieues
chaque journée

Le souffle de tempête sur son visage avait la fraîcheur du karma – mais pour combien de temps ? Si une ville pouvait ainsi disparaître, il n'existait pas de demeure. Un petit enfant perdu se jeta dans ses jambes ; il tremblait de tous ses membres, la face noire de suie, appelant sa mère que les puits arides de la terre venaient d'avaler. Après l'avoir confié à un groupe de rescapés qui s'essayaient aux premiers secours, Santōka reconnut l'angle d'un immeuble de pierre et d'autres détails épars, un réverbère, trois bornes en fonte, le bouddha d'un seuil. Il se hâta jusqu'à l'endroit où se tenait hier la pension, découvrant un amas enchevêtré de planches, de ferraille et de tuiles parcouru de fumerolles. Des voisins venaient d'en extraire le cadavre de dame Nugara et son époux bien vivant dans son fauteuil d'impotent. Où était-elle, Lio, la fiancée inconsolable ? Il aperçut aussi, côte à côte sur un drap jeté au sol, le jeune couple démantibulé, leurs têtes aux yeux entrouverts inclinées l'une contre l'autre. Ceux-là semblaient avoir enfin gagné la sérénité sans choix ni rejet, l'oubli qu'aucun philtre n'épuise. Lui-même, quel serait sont sort ? Où étaient ses papiers, ses livres, son nécessaire d'écriture ? Pris de frénésie, il bondit au milieu des gravats, s'écorchant aux clous, soulevant les planches sur des vestiges de vie ménagère, à peine des signes tachés de sang. Avec un mouvement de joie qui lui fit honte, il s'aperçut que l'aile basse de l'immeuble avait réchappé aux effondrements. Même si le toit avait en partie cédé, défonçant les plafonds, il allait pouvoir récupérer quelques miteux trésors, ses poèmes manuscrits, les lettres de ses proches, sa paire de lunettes de rechange…

Le lendemain, les incendies n'avaient pas cessé. Du côté de la mer, les foules en détresse continuaient de se jeter à l'eau, sur des esquifs ou à la nage, depuis les quais pourfendus du port tandis que les cargos de toutes provenances recueillaient les réfugiés et faisaient la navette entre ces bords d'enfer et d'autres rivages. Des rumeurs de sabotage se répandirent. On accusa les Coréens d'allumer des feux criminels ; très vite, malgré l'état d'urgence institué par les autorités et le bon esprit général, des hordes de vengeurs se vouèrent bientôt à leur extermination, tuant à l'aveuglette étrangers ou assimilés en tous lieux. La police militaire profita de ces désordres pour assassiner de grandes figures de la contestation politique, comme les anarchistes Ōsugi Sakae et Itō Noe. Santōka avait pu les rencontrer dans un cercle littéraire, ébloui par la beauté de cette grave jeune femme qu'Ōsugi traitait avec déférence, en combattante irréprochable.

En rien l'agitation des survivants n'eût pu modifier le déploiement du cataclysme. Outre Tokyo, les villes de Yokohama, Kanagawa, Shizuoka furent aux trois quarts détruites. Un raz de marée avait submergé quantité de villages jusque dans l'arrière-pays. On ne comptait plus les victimes et les sans-abri affluaient massivement. Les drames et les malheurs excédaient l'ordinaire tragédie ; quiconque se déplaçait à travers cités et faubourgs voyait s'éteindre en lui tout sentiment. La compassion n'agit plus guère dans un pareil champ de désolation. Pourquoi se pencher sur celui-ci plutôt que sur celui-là ? De nombreux habitants de son quartier avaient péri. Toute une classe de fillettes à l'école voisine. Des commerçants dans leur échoppe. Les secours sondaient les décombres, dégageant nombre de cadavres et parfois un miraculé. On rapportait qu'un pharmacien enseveli avec ses médicaments s'en était nourri pour survivre. Santōka s'étonnait de voir les gamins de la rue se remettre à jouer dans les flaques, avec des bouteilles cassées, des colifichets épars, des icônes d'autel, les coiffes difformes d'une chapellerie, un tas de mécanismes d'une horloge publique. Les fontaines éclatées ruisselaient toujours, et les chiens en meutes, à l'image des tueurs, menaçaient les très jeunes enfants et les vieillards isolés. La police et l'armée patrouillaient désormais dans le quartier, après les pillages, les meurtres et les viols en série de femmes coréennes. Ceux qui le pouvaient réintégraient leur logis ; devant tant de souvenirs anéantis, d'autres s'apprêtaient à l'exil. En instance de départ, Santōka avait rassemblé ses affaires dans une caisse et rendu ses hommages aux locataires rescapés. Il était allé consoler avec la retenue d'usage son maître Seisensui qui venait de perdre femme et enfant.

Revenu aux abords de la pension inhabitable, il resta assis toute une nuit sur son bagage, au milieu d'une chaussée crevassée, à écouter les derniers frémissements de la terre. Comment demeurer plus longtemps parmi les morts et les estropiés, quand nul ne fait attention à vous ?

À bord d'un cargo anglais, quelques jours plus tard, chargé d'une malle pleine des débris de sa vie à Tokyo, Santōka trouva un moyen d'échapper à la subversion aveugle, aux lamentations et aux remugles de décomposition, malgré la destruction des voies ferrées et des routes carrossables. Un steamship, après des heures houleuses, le débarqua loin des régions sinistrées, sur l'île de Kyushu. C'est en train qu'il parvint à la gare de Kunamoto où il dut consigner sa malle trop lourde avant de prendre un tramway. Il savait bien où aller dans la ville, même si personne ne l'espérait. Sur le chemin, au soleil de septembre, il remarqua les tavernes de bois et de paille où il aimait s'enivrer autrefois, les jardins défleuris devant les baraques et ces grandes lanternes décorées d'herbes curatives aux portes des officines.

Sakino, toujours aussi jolie malgré sa maigreur, l'accueillit avec une surprise mitigée.

— Ah, c'est toi Shōichi. Je suis contente de te savoir vivant.

— J'ai laissé mon bagage à la gare, dit-il un peu gêné, ne sachant trop s'il devait embrasser cette étrangère qui lui souriait.

— Allez, ne te peine pas, demain soufflera le vent de demain ! On te trouvera une chambre dans le quartier, tu pourras voir ton fils qui a beaucoup grandi. Et peut-être accepteras-tu de m'aider au magasin, ça te ferait quelques sous…

C'est ainsi qu'il reprit sa place et certaines de ses habitudes auprès de son ex-épouse et de Ken, devenu un solide bambin aussi craintif qu'espiègle. Mais d'être relégué dans un rôle de factotum au service de Sakino ranima vite son amertume. Elle ne l'aimait plus assurément ; les anciens amants sont des ennemis farouches qui font mine de s'ignorer. Avec la plus entière mauvaise foi, à l'évocation des moments heureux, il se disait que l'amour n'avait aucune valeur humaine ; sans son principe, certes, rien n'existerait, pas même la vie sur terre. L'amour était comme l'eau, vital et insipide. Santōka, lui, s'anesthésiait au saké pour faire bonne figure. Où demeurait-il vraiment ? Qui lui accordait un quelconque prix sur cette fichue planète ? Il avait tellement vénéré Sakino autrefois qu'il en regrettait jusque leurs dédains perdus. Cœur battant du premier jour, faut-il attendre l'aimée qui ne vous aime plus ? Même Ken repoussait l'inconnu puant l'alcool lorsqu'il se penchait pour baiser son front. Étranger à chacun, il avait le sentiment d'agiter un vieil éventail de fer dans un épais brouillard. Il aurait suffi que l'amour renaisse pour que le monde reprenne ses couleurs. La pensée qu'il n'existait aucun lieu réel dans cet univers fugitif, mais qu'une succession d'apparences sans lien entre elles, l'emplissait d'une mystérieuse consolation. Hors le saké, les haïkus et les chemins rêvés des montagnes, tout était ombre et délaissement pour lui.

Un peu plus d'une année s'écoula ainsi, entre ses travaux d'encadrement et le petit garni où il avait déposé sa vieille malle. L'hiver en cette fin d'année 1924 s'annonçait particulièrement rigoureux. Après le travail au magasin, plutôt que de rejoindre son logis glacial, il traînait en ville ses nostalgies au goût de bière de riz. L'angoisse lui faisait dépenser chaque yen gagné, de-ci de-là, aux tables des auberges populaires ou aux comptoirs des cabarets du centre-ville. La terre ne cessait de trembler sous ses pieds, comme si son cœur fatigué répercutait à distance les ruptures de faille et les effondrements passés.

Il neigeait ce soir-là et les tramways crissaient à vous assourdir dans des gerbes d'étincelles. Alors à son deuxième ou troisième flacon de saké, Santōka s'apprêtait à quitter un petit bar proche de la salle des fêtes qui lui rappelait les tavernes de sa jeunesse. Une femme seule entra s'asseoir sur un tabouret voisin, au comptoir. Elle avait la bouche peinte et des yeux étirés aux tempes à la manière du loup-cervier. Son visage à peine marqué par l'âge était d'une rare noblesse. Il ne put s'empêcher de l'apostropher, d'une voix retenue, avec une pointe d'affabilité.

— Excusez-moi de vous importuner. Mais c'est

curieux, vous me rappelez quelqu'un, une personne chère que j'ai connue il y a très longtemps, peut-être dans une autre vie...

La prostituée s'esclaffa sans malveillance en rassemblant des deux paumes son épaisse chevelure au-dessus des tempes. Derrière le zinc, un jeune serveur aux bras tatoués haussa les épaules.

— Tu bois quoi, Saori ? lui lança-t-il, un verre et une bouteille déjà en main, comme pour un rituel.

— Ton shōchū le plus corsé, dit-elle en souriant à l'homme ivre qui la contemplait.

Plus tard, le nom de Saori en tête, ne sachant plus où il allait, Santōka divagua, plus titubant que jamais, au hasard des chaussées blanchies où les lueurs des rails et les traces de roues composaient sous la neige de grands brouillons illisibles. Un vieil homme couvert d'une bâche trottina vers lui pour le secourir.

— Venez, venez donc ! s'exclamait-il, c'est dangereux...

— Mendiant, éloigne-toi ! lui enjoignit tristement Santōka. Je me sens mourir, mais le cœur bat...

Plus loin, à pas lents au milieu de la voie, il contempla la neige qui volait en légers tourbillons sur fond d'éblouissement avant de s'effacer contre l'asphalte comme s'effaceraient les lumineux haïkus de sa mémoire. Nous sommes tous des gosses, le jour de l'an, admit-il. Sa vie allait s'éteindre comme un trésor de braises, et personne, personne pour souffler dessus !

Planté entre les rails d'une ligne de tramway, Santōka demanda pardon à sa mère de n'avoir pas su être l'enfant qu'elle désirait. Un fracas de ferraille s'annonça. Au bout de la chaussée, deux phares se rapprochèrent à une vitesse impressionnante. Pourquoi s'écarter de son destin ? Le tramway fonçait sur lui. Déjà, il regrettait l'inconnue du bar et son petit Ken, et son épouse tant aimée, son pauvre frère, les planteuses de riz de Sabare qui chantaient pour oublier leur crasse, la vieille Tsuru, tous ses amis d'autrefois. Adieu, adieu ! je meurs de bonne guerre à la première neige…

En méditation ou gesticulant, les cinq cents bouddhas à faces d'or du temple Hoon-ji n'avaient pas bougé de leurs casiers de bois étagés. Maître Gian Mochizuki Osho les passait en revue comme chaque matin, vaguement indisposé par cette odeur d'huile rance qui suit les nuits d'offrandes. De la grande salle du temple, bien avant qu'on ouvrît les portes aux visiteurs, maître Gian se faufila dans les jardins déserts. La neige unifiait les parterres, les statues et les toits, laissant aux arbres leur souveraineté. Le plus vieux, plein d'étais, resplendissait dans la grisaille. L'écorce noire de ses branches était endiamantée de gel jusqu'aux plus hautes brindilles. Entre les arbres, la blancheur avait une intensité presque infranchissable. Le daisojo prit toute la mesure de cette quiétude sans autres accroches qu'une pie posée sur un tronc mort, la cloche d'un sanctuaire au loin ou l'ombre solitaire d'un épouvantail entre le lac gelé et la colline aux cyprès. Par-dessus les jardins et les champs, les montagnes émergeaient des brumes basses dans les cieux parallèles. Immobile, il parvint à faire abstraction des bruits majeurs, ceux dont l'écho ouvre les distances, pour écouter les heurts et les glissements des particules de glace et enfin accéder quelques instants à la pure vibration du silence.

C'est alors que l'éternel novice Io vint tout gâcher avec son fagot de branchettes. Mais il fallait bien dégager l'accès au temple et ouvrir un chemin jusqu'au portique.

— Et comment se porte notre invité ce matin ? demanda le daisojo.

— Il dort sous la neige, on dirait.

— Laissez-la fondre, il doit se reposer.

Tandis que le novice Io, ses courtes jambes balayant les abords de l'édifice central avec plus d'énergie que le balai, prenait un plaisir d'enfant à saccager ce beau décor d'hiver, maître Gian remarqua les manigances d'un macaque sur le toit de tuiles du logement des bonzes. Les singes aimaient se réfugier chez eux à la saison froide. Par temps de neige, c'était un heureux présage.

— Quand dois-je le mettre dehors ? nasilla d'un air chafouin le novice.

— Et qui donc voudrais-tu mettre dehors ?

— Mais ce vagabond sale et puant l'alcool, maître !

Un sourire appuyé suffit à désarmer Io, lequel partit illico godiller de son manche à balai entre deux vagues blanches jusqu'au bout de l'allée où s'élevait une tour-porche à étages. Diverti, le daisojo songea aux trois funérailles que le temple devait servir en matinée – il s'agissait de gérer le culte aux portes mêmes de l'infinie lumière – et à cet homme recueilli la veille. Des gens de Kunamoto connaissant bien Hoon-ji s'étaient empressés de le lui livrer, ne sachant que faire d'un aspirant au suicide. Par grand prodige, le chauffeur du tramway était parvenu à freiner assez court, ses phares touchant presque le désespéré ivre de saké. Un miracle n'étant qu'un retournement du vide sur lui-même, on pouvait maintenant s'attendre à tout, une récidive, un renoncement, une régénération. D'ailleurs, on ne connaissait rien de l'individu, même pas son nom, et c'était mieux ainsi. Les temples comme celui de Hoon-ji avaient vu défiler quantité d'infortunés depuis Eisai, voici presque mille ans, ou son lointain successeur, le vénéré Dōgen qui, le siècle suivant, recommandait à ses disciples d'accompagner avec compassion l'Illumination d'autrui au mépris de leur propre délivrance. C'est ainsi : toute personne inconnue ouvre une demeure nouvelle.

Du grand hall des fidèles où il se tenait, maître Gian se dirigea vers les édifices du monastère encadrant la pagode. Ces quelques pas dans la neige lui rappelèrent son enfance montagnarde au nord de Honshu ; les chutes y étaient si abondantes que les gosses du village, de retour de l'école du temple, se refugiaient à l'occasion dans un ermitage sur pilotis à l'abandon transformé en arche au milieu d'un océan de neige. Maître Gian longea à pied sec la galerie qui courait autour des bâtiments jusqu'aux cellules des anciens moines pèlerins allouées désormais aux visiteurs occasionnels.

Santōka se tenait tranquillement sous l'avant-toit, à observer les oiseaux en quête d'une manne cachée. Il sortait d'un sommeil sans rêves et comprenait mal sa présence dans ce qui avait tout l'air d'un cloître avec ses murs de carton entre d'épaisses colonnes de bois posées sur des pierres d'ancrage. Il aperçut le bonze au détour du déambulatoire, surpris de son allure à la fois débonnaire et vigilante évoquant le qui-vive d'un samouraï en promenade. Plutôt grand dans son kimono de coton moiré anthracite aux manches flottantes, l'homme se dirigeait vers lui les mains ouvertes, avec déjà sur les lèvres une parole d'accueil.

— Ah ! Vous voilà levé, dit-il. Comme c'est heureux, nous allons pouvoir lier un peu connaissance.

Mais le daisojo n'ajouta rien de plus et l'engagea seulement à marcher sous l'auvent de tuiles. À chaque angle du monastère, Santōka découvrait un paysage inédit qui s'épanouissait dans les neiges éclatantes. La cloche du temple tinta sans que l'homme à ses côtés parût l'entendre. Il marchait d'un pas effacé qui eût pu être de son ombre.

— Que m'est-il arrivé ? demanda enfin Santōka. J'avais bu plus que de raison et j'errais sur la chaussée, mais après, que m'est-il arrivé ?

— Est-ce si important de le savoir ? Il n'arrive rien, rien de vraiment grave. On peut lire dans un nō : « Si blancs que soient ces champs, si pur que soit un cœur, nous agissons toujours à tâtons, dans d'insondables ténèbres. Où trouver la vérité ? La neige tombe et tourbillonne. »

À ce moment précis, des cristaux volèrent de plus en plus denses, imposant le silence. Sur fond de grisaille, ces impondérables remous dessinaient des figures ; Santōka y entrevit des scènes d'autrefois, fugitives, et des larmes lui vinrent.

— Tout est si calme, j'aimerais bien rester un jour ou deux chez vous, mais je n'ai pas d'argent...

— Restez donc tant que vous voudrez. On ne vous demandera rien, aucune explication. Vous mangerez avec les moines aux cuisines. Chacun s'occupe à vivre ici, à être conscient de tout, en se levant le matin, en travaillant. Même dormir et manger doivent aider à vivre...

Santōka s'inclina, tranquillisé, et vit l'homme s'éloigner par les coursives du même pas égal. Il se doutait bien à quoi il avait réchappé, mais en quelles circonstances ? Des bonzes quittant leurs cellules le croisèrent en clignant des paupières, les mains enfoncées dans leurs manches. Le gong résonna sous les toits et avant-toits du temple aux pointes en queue de merle. Comme il titubait de fatigue et qu'une pépie asséchait sa gorge, Santōka retourna dans la cellule qu'on lui avait attribuée. Il s'allongea sur un maigre futon, posant sa nuque contre l'appuie-tête. Les portes coulissantes reflétaient par transparence les clartés sourdes de ce jour de neige. Il admit être sauf et ne pas rêver. Croyant ses yeux toujours ouverts quand ses paupières, à peine moins translucides, imitaient le papier huilé des cloisons, il s'endormit. Un grand harfang s'élevait, couleur du ciel, par-dessus les collines et les monts immaculés. Quel poète oublié avançait que songe et réalité sont les ailes d'un même oiseau ? Un vieux quêteur gris de face et d'habit vint vers lui comme une brume. Dans le bol du mendiant, sept grains de riz gonflés par l'eau du ciel. Il demandait la charité sans un mot. Par les yeux ou la pensée. La seule voie, disait celle-ci, c'est tout jeter et puis sourire. Pourtant, il ne souriait pas. Il faut du riz mais tout est inutile, ajoutaient ses yeux. Traversée de lueurs, la brume fusionna avec les opacités des neiges. Santōka s'enfonça dans le sommeil paisiblement, sans autre visite d'un monde ou de l'autre, tout juste enclin à de flottantes injonctions détachées du souvenir : remonter le fleuve Ōi… aller vers l'eau pure…

Comme il l'avait promis, maître Gian Mochizuki Osho laissa son hôte entièrement libre de son temps, avec pour seules contraintes de partager la nourriture à base de végétaux du monastère et d'éviter de s'enivrer. Affranchi des agressions du corps et de l'esprit, Santōka s'y plia volontiers. La pratique de l'Illumination silencieuse à laquelle se consacraient les bonzes du temple Hoon-ji ne l'intéressait guère, cependant il ne voyait rien de tangible à quoi se raccrocher ; son lâcher-prise, jour après jour, ne provoquait plus en lui de ces pénibles vertiges qui s'achevaient d'ordinaire en prostration de momie. La méditation en position assise ne dérangeait pas davantage ses habitudes contemplatives et c'est avec un sentiment de répit qu'il s'adonnait aux besognes de la petite communauté : cuisiner, dépoussiérer les objets sacrés et les cinq cents bouddhas au visage d'or, sonner les cloches, préparer les encensoirs et les lanternes. Avec une aptitude qu'il s'ignorait pour le jardinage. L'éclosion progressive des fruits et des légumes grâce à quelques gestes consacrés participait d'une sorte de magie élémentaire. Et les arbres ancestraux alentour, les champs de fougères palpitants, la liberté insondable des montagnes que la mer proche rafraîchissait d'embruns ne manquaient pas d'exalter en lui la plus sereine des facultés.

Dans le vent
chantant à pleine voix
salut ô Kh'anon

À quarante ans passés, Santōka apprenait doucement à ressusciter au milieu des renonçants et des convois funèbres. Des mois plus tard, il s'étonnait encore des bizarreries de ses compagnons de silence. Le plus âgé des moines, tordu de rhumatismes, s'activait tous les matins aux travaux de nettoyage. Il cassait même du bois et poussait des brouettes de charbon. Un jour que Santōka s'était offert à l'aider, le préposé au ménage l'arrêta tout net et lui demanda dans un rire : « Me trouverais-tu trop vieux pour cette corvée ? » Avant de rempoigner son outil, il cracha dans ses mains et lui lança en prime : « Vieillir, jeune homme, c'est apprendre à disparaître avec une pelle et un balai ! »

Un autre moine, aide-cuisinier, préposé à puiser l'eau à la fontaine hors des heures de zazen, s'y prenait fort mal, et multipliait les transvasements inefficaces au moyen d'un tout petit récipient très lourd et qui de plus fuyait. Les conseils de Santōka furent pour lui une occasion de se distraire. « Par bols ou par seaux entiers, dit-il, c'est la même eau et j'ai tout mon temps. » L'éternel novice Io avait moins de sagesse mais de nombreux talents : depuis la composition florale rien qu'avec des feuilles variées jusqu'à la belle écriture sur les queues de cerf-volant ou les lanternes de l'O-Bon. Expert en cette voie, Io manifestait ailleurs une parfaite inanité. Ce demi-fou réfugié au temple un jour de tempête comme un macaque chassé de sa tribu, le maître l'avait adopté et soigné par le silence. Il aimait voir en lui une sorte de réincarnation avortée, un avatar manqué à cause d'une mauvaise consolation au bord du fleuve de la mort. Aussi la pratique de l'ascèse lui était épargnée. De même qu'au miraculé du tramway qui petit à petit recouvrait des forces dans cette solitude frémissante de vacuité.

Le soir, une fois le portique du temple symboliquement clos, Santōka aimait marcher dans le parc, entre les ginkgos dorés, les cyprès et les ormes jaunes. Chaque promenade pour lui était unique, d'une fraîcheur inimitable, comme une révélation de la brise et de la lumière déclinante. Les naufrages dont il était sorti indemne lui laissaient un goût d'infini aux lèvres. La chose la plus ordinaire, comme boire à la fontaine ou s'asseoir dans l'herbe, lui semblait si neuve, si propre à toutes les réconciliations, que l'instant en devenait pareil au pistil d'une fleur à peine éclose. Tout devint dès lors apprentissage, initiation d'enfant aux mystères les plus menus. Même Io lui était un maître en certaines circonstances. Par ailleurs, pour son ravissement de cancre repenti, on lui avait ouvert le cabinet de lecture ; de nouveau, l'ex-factotum de la bibliothèque Hitotsubashi se remit à étudier tous les sūtras de la Corbeille des sermons, ceux du Mahāyāna et de la Doctrine particulière, sans qu'aucun chef de bureau osât troubler ses déchiffrements. Il lui fallut plusieurs mois pour comprendre sans concept l'élémentaire accès au sūtra du Cœur : « Forme n'est que vide, vide n'est que forme. »

Le jour arriva où Gian Mochizuki Osho put considérer que son protégé – dont il n'ignorait pas les faiblesses insignes, et encore moins cette grâce qu'il avait de toucher de temps à autre à l'eau pure de l'instant par l'art simple du pinceau – méritait bien qu'on l'enlaidisse un peu plus en lui rasant le crâne. Santōka accepta avec joie les vœux du Grand Véhicule, limités pour lui au seul précepte de l'éveil qui les contenait tous. On savait bien au monastère que le miraculé n'eût jamais pris la vie d'une mouche, commis d'inconduite, convoité les biens d'autrui, tenu des propos futiles, mensongers, blessants ou propres à jeter la discorde. Et puis certaines qualités rachètent bien des travers sous le pied de Çakyamuni. Il reçut de l'ordonnateur les instructions secrètes dans le cabinet aux objets sacrés. Puis en présence de l'assistant préposé à l'encens et devant la communauté invisible des bodhisattvas, on lui attribua rituellement son nom de moine, lequel signifiait « labourer le champ ».

— Toi, Kōho, qui sait tout de la chute des pétales de cerisier, lui confia maître Gian au sortir de ces solennités, tu cultiveras jusqu'au bout du séjour le petit lopin de ton cœur. Et puis n'oublie jamais qu'il n'y a rien à convoiter dans ce monde ni dans aucun autre, pas même l'Illumination. Rien ne nous porte que l'instant présent. Tu marcheras dans l'éclair sans craindre la foudre ni attendre le grondement du tonnerre. Tout ce que je peux te souhaiter, au terme des épreuves qui t'attendent, c'est la paix de l'esprit…

Santōka comprit à demi-mot qu'on allait bientôt le déloger de sa cellule et il en ressentit une vive mélancolie. Peu lui importait d'être moine, il s'était tellement vidé de toute image importune pendant cette année de retraite absolue que, sans mémoire des peines et des affronts, la vie lui aurait presque souri, avec une pointe de raillerie. Mais l'impétrant acquiesça en silence à l'offre de maître Gian. Il ne s'agissait pas moins que de partir s'exiler dans un minuscule temple des environs montueux de Kumamoto dédié à la déesse de la Compassion. Éminemment solitaire, le temple Mitori Kh'anon-do avait en effet besoin d'un gardien et il pourrait s'y rendre utile par son assistance spirituelle aux villageois. En échange, selon d'ancestraux protocoles, ces derniers contribueraient aux besoins alimentaires du moine et à l'entretien des lieux.

Les jours qui précédèrent son départ, Santōka se dégagea de toute obligation pour aller vaguer dans les campagnes environnantes. Il croisa quantité de paysans qui tous le saluèrent avec déférence. Était-ce dû à son nouvel habit ? Aux abords d'un village, des enfants jouaient au combat de samouraïs, respectant comme il sied la distance de réserve qui sépare et relie entre leurs sabres de bois. Quel guerrier de jadis avait bien pu leur enseigner la valeur dynamique du vide et la parade du salut avant que ne parlent les armes ? Un tout-petit assis sur un tas de sable observait les pérégrinations d'une colonne de fourmis – vers quelle lointaine destination ! Les fourmis aussi ne cessent de marcher, tout comme les pèlerins de temple en sanctuaire. Plus loin, un mendiant lépreux qui n'avait plus de mains pour s'enrichir hochait pathétiquement la tête. Santōka se considérait pareil à ce lépreux, mais c'était le cœur qui manquait ; ne lui avait-on pas arraché cette part ardente ? Amour perdu ! Ce qu'il avait cru être n'existait plus. Marcher cependant le soignait, il devenait un autre homme en marchant. Demain, il lui faudrait s'exiler là-haut, dans les montagnes ; laisser là maître Gian et l'éternel novice. C'était son lot de perdre ses repères ; un moine de l'école Sōtō, investi par charité, ne pouvait déroger au principe du détachement. Il n'avait d'ailleurs plus rien à perdre, nul ne l'attendait sur cette terre. Vivre, respirer, jusqu'au jour pas si éloigné où la mort lui écrasera un masque d'enfant sur le visage – c'était assez de chance encore.

De retour vers Hoon-ji, une manière de porc-épic géant déboula de la croisée des chemins. Le marchand ambulant chargé de faisceaux pointus d'ustensiles s'arrêta pour souffler. Après avoir déposé au sol quantité de marchandises nouées à des cordes, il héla joyeusement le moine.

— J'ai du bon saké pour un vœu, trinque avec moi, l'ami !

— Au prix de bonnes paroles, volontiers ! dit Santōka.

Ils vidèrent un carafon du plus trouble vin de riz en moquant l'air de rien les villageois et les fermiers pleure-misère de ce pays. Santōka, vite étourdi après des mois d'abstinence, évoqua Ryōkan, parti comme un coucou sur les chemins de la charité et bienheureux de boire au hasard des rencontres :

Demain, le jour suivant – qui le dira ?
Soyons ivres de ce jour même !

Belle et glaçante solitude ! La nature observe longtemps l'intrus avec ses yeux d'insectes, de volatiles et de macaques. Elle écoute ses plaintes et les avale du fond de ses cavernes de branches et de nuages : rien n'est à redouter de l'aigle ou du lynx des songes. Une pluie de mésanges au cou bleu vient peupler l'arbre vénérable du seuil dont l'ombre tourne avec le soleil sur la clairière aux pervenches. Un étang derrière la baraque d'habitation s'éclaire de nénuphars blancs et de fleurs de lotus. Mille bras végétaux effleurent les errances inquiètes du nouveau venu tandis qu'autant de paupières clignotent dans les mouvantes frondaisons et les abrupts ruisselant de cryptogames. Dotée de onze visages, la déesse sans forme sait les prendre toutes – rochers, nuages, vagues déchaînées, visiteuse nocturne déliée en brume au petit matin, pure vacuité quand l'oubli se joue des apparences et de la douleur. Ne dit-on pas qu'elle emprunte l'aspect du désir de chacun – porteuse d'eau, prostituée, démone ou fleur de béatitude – pour mieux nous affranchir à force de mansuétude ? Celle ou celui qui l'appelle avec tout l'espoir du désespoir, dans l'intensité folle du néant, deviendra semblable à la déesse, sans peur ni émoi jamais, plus libre que la respiration des espaces, aussi lumineux qu'un sourire du Bouddha.

Le moine Kōho avait intégré le temple Mitori Kh'anon-do plein de ces enseignements, mais l'esprit accablé par une tristesse privée de traits distincts. Peut-on encore chérir le fantôme d'un fantôme ? Il rêvassait certes toujours à la chère noyée, à l'histoire de la carpe jalouse dont le pêcheur était épris au grand dam de son épouse. Mais sa mère avait pris l'apparence d'une fée de la mémoire, mi-protectrice mi-maléfique, envoûteuse comme le spectacle d'un miroitement d'eaux calmes sous la lune. L'âme de dame mère le suivait partout, après tant d'années. N'était-elle donc pas consolée ? Combien de sūtras devrait-il réciter encore à tous les vents pour qu'elle dissimule enfin son visage dans ses manches d'algues flottantes ?

Cependant il alla déposer son bagage dans l'unique chambre, à l'étage du petit édifice sur pilotis, heureux d'y voir tourner un carrousel de lumières. Une fois ses vêtements et ses livres disposés sur trois planches en étagère d'une encoignure, il installa son nécessaire d'écriture près d'une table basse, à côté de sa natte qu'il recouvrit d'une épaisse couverture ouatée. Puis il courut au temple, confus d'avoir accordé la priorité à son confort. À peine le portail de bois débâclé et les fenêtres ouvertes, il s'effara de la quantité de poussière, de toiles d'araignée et d'excréments de rongeurs souillant les sols et les autels. Son premier geste fut de nettoyer avec un pli de sa robe le visage de la déesse qui trônait en majesté dans une salle de la dimension d'une grange. Tout un pan de mur recevait d'ailleurs un entassement de meules de foin jusqu'à mi-plafond. Le crépuscule illumina l'intérieur du temple par le portail. La face dorée de la statue reçut un rayon de soleil. Il observa sur son crâne la coiffe constituée de ses dix autres visages et autour d'elle les gerbes en queue de paon de ses mille bras. Épuisé par son voyage commencé à l'arrière d'un camion convoyant des sacs de coquillages et qu'acheva une déambulation aléatoire par les sentes et les raidillons, aurait-il seulement la force de passer la nuit à contempler le reflet des étoiles sur cette pauvre effigie, fût-ce la déesse Kh'anon en personne ? Chaque journée avait son haut lieu et demain appartenait plus que jamais à demain. Aussi alla-t-il se coucher à l'étage de sa cahute, comptant bien se mettre à l'œuvre dès l'aube nouvelle. Mais le sommeil est comme le renard qui rôde, ses yeux de verre pétillant çà et là, entre deux guets-apens de poulailler.

Au milieu de la nuit, à l'écoute des hulottes, Santōka toujours sur le qui-vive crut entendre un tintement de clochettes. Une forme humaine, de son point de vue minuscule et filiforme, se faufilait entre le temple et les chênes rabougris des lisières. De nouveau couché, il s'endormit à poings fermés cette fois, intégrant cette incertaine vision nocturne à l'effraction subite d'un rêve tout de mystère, dans la perte du sentiment de soi. Le lendemain, aux premières lueurs, il lui sembla que l'illusion du sommeil se perpétuait : la lumière irréelle le retrouvait abasourdi en un lieu énigmatique. Il fallut bien se lever pour affronter le jour.

Derrière le temple, une source captée par un bec de fontaine ruisselait en continu le long d'une figurine assez fruste taillée dans le granit mais que l'érosion avait dénudée et lissée de manière suggestive. Troublé, Santōka se souvint des hanches de Sakino. À l'aide d'un broc, d'une vieille éponge et d'un fagot de branchettes, il s'en retourna, décidé à nettoyer l'édifice de fond en comble. Alors qu'il dépoussiérait les sols, un vacarme de ferraille le jeta dehors. Il vit courir vers lui une sorte de guerrier antique tout harnaché, la face révulsée d'une rage incompréhensible, et brandissant un sabre ébréché de samouraï. Le danger physique étant sans effet à son endroit, l'idée de fuir le phénomène ne l'effleura guère. Il recula seulement d'un pas quand cette trombe burlesque déboula et, sans presque le voir, poursuivit sa course dans le sous-bois. Quelques secondes plus tard, née d'un bruissement de branches et de feuilles, une autre silhouette surgit, comme épuisée de détresse. La paysanne vint s'agenouiller devant lui en marmonnant mille excuses.

— Pardon, pardonnez-nous, mon fils est revenu fou de la guerre en Chine, mais il n'est pas si terrible...

Elle repartit à sa poursuite, tandis que d'autres villageois apparurent, deux matrones scrutatrices vêtues en planteuses de rizière, une bande d'enfants maladifs, des hommes affables en haillons qui se proposèrent aussitôt de l'aider. D'autres encore munis d'offrandes : fruits et bouts d'étoffe, flacon de doburoku, carré de savon noir et mesures de riz, baies d'automne ou légumes secs. Au cours de cette journée inaugurale, le va-et-vient ininterrompu lui laissa craindre une vie plus dérangée qu'en pleine ville. Mais tout ce monde disparut au crépuscule. Le temple, grâce à la bonne volonté générale, avait recouvré sa dignité cultuelle. La statue lamée d'airain cuivré de la déesse resplendissait sous un tapis de petites lampes à huile apportées une à une par les visiteurs étonnés de ce moine si vaillant qui honorait chacun d'un mot d'accueil et d'un petit rire réjoui derrière ses énormes lunettes.

Sans autre témoin qu'un macaque descendu de son arbre, Santōka contempla l'œuvre du jour avec un contentement d'enfant. Rompu de fatigue, il n'eut plus de doute que s'il apportait autant de courage chaque matin, la déesse Kh'anon viendrait le congratuler au grand soir, dans l'extinction des apparences, puisque la délivrance n'a pas d'autre visage. Bientôt des sifflements de hulottes le rappelèrent à sa solitude. Le macaque curieux avait rejoint sa tribu. On entendait palpiter la nuit vivante des montagnes. Une fois le portail clos, il gagna sa chambre sur pilotis avec en main une pomme et sa bouteille de saké non filtré qu'il but à grandes rasades, à peine assis devant son écritoire de fortune. La flamme protégée par un luminaire de papier dansotait, jetant aux quatre coins de fuyantes diaprures. Affolées par ces jeux d'illusion, des phalènes brumeuses ajoutèrent un désordre d'ombres en bataillant contre la mort. Santōka, plutôt qu'écrire, ouvrit le journal de voyage de Bashō, *Dussent blanchir mes os,* notes ponctuées de haïkus en témoignage de ses nombreux pèlerinages : d'Edo au pays natal, où son frère lui avait confié une bourse à amulettes contenant des boucles de cheveux de sa mère incinérée en son absence, d'Edo à Kashima, pour contempler la lune d'automne au-dessus du grand sanctuaire, en tournée des cercles poétiques avec l'un ou l'autre de ses disciples, depuis les provinces au sud-ouest de Honshu, en passant par le mont Koya, jusqu'à

Nara puis Kyoto… Cette route de Kiso qui mène à Sarashina, à travers les montagnes sauvages où l'on abandonnait les bouches inutiles anciennement, Santōka croyait la reconnaître au fil de sa lecture, lui-même cheminant dans les mots de Bashō. En l'honneur de son seul vrai maître, il avala un fond de saké trouble. Comment ne pas imaginer le mont Obasute :

Ses contours évoquent
une vieille seule pleurant
consœur de la lune

Les jours et les ans voyagent avec nous, à cheval, en bateau, à pied davantage encore, c'est ce que Santōka se plut à déchiffrer avec un bel enivrement sous la lampe à huile : « Possédé par le génie de la bougeotte qui me troublait l'esprit, touché par les appels des dieux de la route, incapable de rien écrire, je ravaudai ma culotte déchirée… » Parvenu au terme de *la Sente étroite du Bout-du-Monde* puis des *Notes de la demeure d'illusion*, les yeux tout irrités, il s'aperçut vaguement que la flamme n'était plus qu'une luciole dans sa boîte de papier.

La solitude s'apprivoise comme un sanglier blessé. Il y faut de l'attention et des soins ; n'être pas toujours confiné avec elle, ni trop craindre ses coups de hure. Santōka, une fois les travaux de saison effectués, ses obligations de gardien et de moine accomplies, partait souvent se promener, bâton en main, à la découverte d'autres points de vue. Les montagnes se chevauchaient entre les vallons assombris d'une forêt de chênes et d'épicéas ou au contraire éclairés d'un lac d'eau vive qu'une cascade alimentait. Les sentes de bûcherons s'entrecroisaient et menaient aux cultures de théiers où travaillaient ceux d'en bas. Les villageois attachés au temple Mitori Kh'anon-do vivaient plus pauvrement dans des hameaux de cahutes serrées contre une épaule rocheuse à proximité des ravins. Le moine Kōho avait appris à les connaître à force de petits services. Tous ceux qui approchaient le temple lui montraient une bienveillance un peu contrite, pleine de réserves incompréhensibles. Mais il y avait les autres, ivrognes et impies, plutôt hostiles au point de rire de lui ou de se détourner au hasard des rencontres. Une vieille fermière nommée Miso venait souvent s'excuser du comportement de son fils, un apiculteur instruit aux idées révolutionnaires qui traitait ouvertement le moine mendiant de parasite. Elle lui apportait, non du miel, mais des racines comestibles et des champignons cueillis dans les sous-bois. « Ce n'est pas sa faute, expliquait-elle, la police nous l'a rendu rebelle à force de mauvais traitements. Et puis il y a sa pauvre fille. » Très affecté par les jugements hostiles,

Santōka essayait de se montrer indispensable. Quelques mois après son installation, il avait créé une classe d'étude, l'une pour les enfants les plus isolés, l'autre pour les adultes volontaires. Enseigner la calligraphie sur du papier de récupération et des ardoises, avec des pinceaux de fortune et une encre faite d'une macération de fruits rouges et d'écorces de noix, était pour lui un moment de grande émotion. Soudain appliqués sur leur planche, tous ces visages bruts, en peine d'entendement, lui donnaient le sentiment que les esprits ne souhaitaient que s'ouvrir comme la fleur de lotus – bien que le temps et la patience fatalement manqueraient.

Un matin, dans un bruissement léger de grelots, vint s'asseoir parmi des enfants de tous âges une adolescente d'une beauté mystérieuse vêtue d'une simple robe et portant aux chevilles ces fins colliers tintinnabulants. Les élèves appliqués à tracer leurs caractères parurent ne pas s'apercevoir de sa présence. Radieuse, la belle jeune fille se saisit d'un roseau et traça le kanji :

間

avec une telle élégance du geste, chaque ligne d'encre ouvrant l'espace bien au-delà de la feuille de papier, que Santōka s'en trouva stupéfié, comme si l'esprit cette fois s'inversait face au vide palpitant. N'était-ce pas cela le pur éveil, l'intuition immédiate de la totalité ? Mais l'intruse avait lâché son pinceau, pour quel motif effarouchée, et déjà s'enfuyait dans un froissement d'eau vive. Il eut le temps de voir scintiller les clochettes à ses chevilles parmi les fougères.

— Qui est-elle, quelle est cette personne ? demanda-t-il aux écoliers muets qui tenaient leur roseau en l'air dans une posture d'oiseaux en alerte.

L'un d'eux, fillette au regard espiègle et aux petites dents cruelles, partit à rire avec une sorte d'égarement.

— Attention à l'abeille ! s'exclama-t-elle. On dit qu'elle pique les cœurs.

Les autres, amusés, lâchèrent leurs pinceaux et se mirent à chanter d'un même élan :

bun-bun, ton aile en voletant
ferme doucement mes paupières

Comme c'était l'heure de déjeuner, troublé au plus haut point, Santōka congédia cette marmaille et se précipita, canne en main, vers le premier village en contrebas. On salua avec perplexité le moine au seuil des cahutes. Surgi avant même ses élèves, il demanda aux uns et aux autres où trouver l'apiculteur. « Adressez-vous donc à sa mère, là, en face », finit-on par lui répondre. La vieille Miso qui l'avait vu aller et venir, le considéra sans surprise.

— Mon fils Shū est à son miel, dit-elle. Un peu plus bas sur les pentes, juste après la forêt de cèdres nains. Mais que lui voulez-vous ?

Que lui voulait-il en effet ! Une fois sur son territoire, au milieu des ruches, il ne sut comment expliquer les choses. L'homme, solide charpente d'os et de muscles, s'occupait à transvaser un essaim, son bouquet de paille fumante dans une main, tandis que des remous d'or vrombissaient autour de lui.

— De qui me parlez-vous donc ? s'écria l'apiculteur brusquement hors de lui.

— De votre fille, elle était tout à l'heure au temple pour la calligraphie. Je ne comprends pas pourquoi elle s'est enfuie sans un mot...

Shū lâcha sa botte de paille et se jeta au col du moine qui chancela, les lunettes de travers.

— Vous êtes fou ! Complètement fou, comme tous les illuminés de votre espèce ! Ma fille est morte l'an passé, le cœur, son malheureux cœur a cédé...

Disant ces mots, l'apiculteur rouvrit les poings, ses doigts glissèrent contre l'étoffe rêche, puis il tomba à genoux, la face tournée vers les montagnes, tandis qu'une oriflamme de fumée bleue s'élevait du sol, entre les ruches.

Santōka se répandit en excuses avant de s'enfuir, les jambes vacillantes. Sur le chemin du temple, il s'efforça de rassembler son peu de raison en se frottant le menton endolori par une piqûre d'abeille. Son isolement allait finir par l'aliéner s'il se laissait surprendre ainsi par les esprits de la forêt.

Accablé par la monotonie de ses fonctions, sa pépie l'avait repris, à l'approche des grands froids. Sans saké, il ne valait pas mieux qu'une grenouille exilée de sa mare. Quel sens y avait-il à vanter l'or du vide aux misérables ? À quarante-deux ans, beaucoup de son énergie s'était dissoute en maux divers, bronchites, rhumatismes, migraines, tous imputables à son confinement de sédentaire. Sans parler des dents qui se détachent du sourire et décrochent du squelette. Quand la canne sert à s'appuyer, adieu chemins !

Tout l'hiver, mal chauffé au bois mort des forêts, Santōka grelotta devant son écritoire ou aux pieds de la déesse de bronze. Rares étaient les visiteurs. D'abondantes chutes de neige l'isolèrent davantage. Le soir, dans l'oblique clarté des glaces, il lui semblait entendre parfois les sonnailles aux chevilles d'un lutin de passage, mais personne ne se profilait sur les sentiers des pentes. Et s'il composait mentalement des haïkus, c'était pour en perdre aussitôt le souvenir…

Neige partout
les morts jouent
aux fantômes

Les vers qu'il parvenait tout de même à tracer sous la lampe lui semblaient empruntés et faux. Des échantillons d'orgueil blessé. Comment atteindre à *l'art sans art*, quand esprit et cœur se confondent ? Les caractères tracés d'une main tremblante ne se distinguaient même plus de l'arborescente nature. Il ne pouvait rien faire de neuf, en captif affolé par un tintement de clarines. Montés des pentes, les kami de toutes espèces guettaient son sommeil. Il s'en délivrait par un qui-vive cotonneux, rêvant d'un chemin d'oubli dans le vent de l'aube. Mais à force de veiller, assailli de visions, les spectres revenaient, ensorcelant de vérité. Noyée de larmes, sa mère morte était bien plus attentive à ses caprices. Le cou démesurément étiré, son jeune frère lui souriait malgré la corde au nœud court. Parfois, le souvenir de son ex-épouse et du petit Ken le rendait si triste qu'il courait s'enivrer à l'eau glacée de la fontaine. Certaines nuits, anesthésié au saké trouble des paysans, il aurait pu se prendre pour un vrai moine, face au vide absolu. Malgré la splendeur mélancolique des paysages, un ennui de marbre l'assommait après les rituels.

Les os de ses doigts tout emmêlés – un jour

de prière pour une défunte d'un âge vénérable qui portait le nom de sa mère – la décision de quitter les lieux aux premiers beaux jours, avec les fleurs des cerisiers, s'imposa à lui presque physiquement, sans autre réflexion. Il partirait sur les routes de pèlerinage, des sandales de paille aux pieds, comme les moines mendiants de jadis, avec un bol et un grelot de fer, son chapeau en lanières de bambou sur le devant du crâne – et le vent le pousserait à son gré. Mendier, n'était-ce pas tout donner de son néant ? Il marcherait d'offrande en offrande, comme on traverse la rivière d'une pierre de gué à l'autre, et cheminerait ainsi au bonheur des routes, guidé par l'esprit de compassion, par Kh'anon aux mille aspects qui même apaise les bêtes féroces et les écorcheurs.

Dehors, en réponse aux pleurs aigus d'une chouette, quelque macaque mal endormi poussa un long glapissement d'effroi. Comme pour le faire taire, une bourrasque secoua les ramures du grand chêne. Santōka, apaisé, s'allongea enfin et ferma les paupières. La nuit pour lui s'approfondit dans la pensée des mers, des fleuves et des montagnes.

Sûr que si on dépliait leurs montagnes, les cinq îles couvriraient l'océan, se disait, bâton en main, le pèlerin aveugle. Il cheminait autour du cratère du mont Aso, indifférent aux émissions de cendres et à l'enlacement des vapeurs de soufre. Depuis des années, il arpentait les voies les plus escarpées, son bâton devant lui ou sur le côté, sans crainte d'une nouvelle chute après d'incalculables accidents de parcours. Ne pas voir n'empêche pas d'avancer, si on se fie à la plante de ses pieds et aux sonorités qui dessinent avec précision les contours d'un territoire. Même le silence se répand en ondes et modèle les formes environnantes. Sur les bords de l'immense caldeira, au centre de l'île de Kyushu, l'aveugle se souvenait avoir croisé jadis un petit moine qu'il rencontrera une seconde fois des années plus tard, par un majestueux hasard, sur les sentiers de l'île au quatre-vingt-huit temples qu'empruntait déjà Kōbō-Daishi voilà un bon millénaire. La première fois, deux décennies plus tôt, sur ce même volcan en phase éruptive, l'homme l'avait interpellé. « Auriez-vous besoin d'aide ? Je vous ai aperçu d'en bas, déambulant dans ces fumées toxiques. » Le pèlerin aveugle se rappelait avoir ri aux éclats, pareil au cratère, avant de répondre en toute sérénité : « J'accomplis là mon vœu de novice aux yeux malades. Perdre la vue n'est rien si l'on garde bonne jambe. Et je marche depuis ce temps-là sur les crêtes les plus périlleuses. » Le petit moine échappé d'un ermitage avec sa canne et sa clochette s'était obstiné : « Je ne peux vous laisser risquer votre vie ainsi et partir, d'autant que je commence à peine cette vie de pèlerinage. » En juste réplique, une formule d'aveugle lui était alors montée aux lèvres : « Doux et flexible le vivant, dur et robuste l'inerte. »

Mais la commisération têtue du moine à la fin l'avait conquis et tous deux devisèrent longtemps sur ce sujet, oubliant les cendres et les explosions. Était-il assez sage, ce promeneur des nuages, pour vouloir sauver la vie d'un spectre sans regard ? N'était-ce pas plutôt chez lui de la sensiblerie sans conscience ni véritable attention ? Le fait est que ses paroles lui étaient allées droit au cœur : le moine Kōho, comme il se désignait, avait su se montrer assez débonnaire pour atténuer les fulminations du volcan. En quête de la réalité ultime, il semblait avoir été poussé hors du petit temple de montagne dont il avait la garde par commandement d'un songe. Des années plus tard, loin de ces vapeurs suffocantes, sur les chemins de Shikoku, ce même Kōho l'avait à nouveau interpellé au seuil d'un vaste sanctuaire dédié à la déesse aux onze visages. On reconnaît mieux qu'un loup blanc l'aveugle croisé dix ans plus tôt au bord d'un gouffre de lave. Lui-même avait d'emblée identifié le serviteur de Kh'anon accouru dans l'idée de le sauver des fureurs telluriques : sans grand rapport avec la physionomie, les voix humaines sont des portraits inoubliables. Cette fois, le petit moine ne lui avait proposé aucun secours, plutôt une connivence enjouée.

— Où allez vous donc par ces sentiers ? s'était enquis le pèlerin aveugle avec une pointe de malice.

L'autre avait saisi à la volée le piège et se plut à l'en divertir :

— Nulle part ailleurs qu'ici-même, à cet instant précis, là où mon pied droit se pose et où le gauche se soulève…

À bonne hauteur, assis sur une avancée rocheuse, les yeux perdus dans le vague des montagnes, les épaules écartées comme les ailes d'un gerfaut, Santōka maintenant vieux se remémore les maîtres fugitifs du voyage, ceux qui traversent les rêves et ceux qui les devinent, depuis son lointain départ du minuscule temple Mitori Kh'anon-do. Le pèlerin aveugle qui défiait placidement les sommets était sans doute passé de ténèbres à trépas, avec sur les lèvres un précepte de Lao Tseu. Pour lui tout était devenu Kh'anon, insondable liberté, vacuité universelle.

Les souvenirs clignotent dans la lumière du soir. Tronçonnée comme un ver de terre, en tous lieux du temps repousse la mémoire. Il s'était donc mis en route un matin du printemps 1926, le cœur tranquille après s'être appliqué à brûler des papiers et ces objets de superstition qu'on serre contre soi pour arrêter les astres. Dans sa robe défraîchie, son kasa sur la tête, il avait effleuré un point d'évasion du bout de sa canne, avant d'engager son errance sous les nuages vagabonds et dans le compagnonnage épisodique des fleuves et des rivières. Marcher dans les grands paysages des altitudes, c'est inventer son jardin intérieur presque à chaque pas, d'un angle à l'autre du ciel ou des vallées. Les nuages à tout moment naissent des montagnes, fantômes d'avalanches qui traversent le souvenir, tandis qu'un rossignol chante avec la grenouille sans nulle affèterie. Et comment ne pas penser au moine sourd qui s'échine, quand sonne au loin la cloche d'un temple ? Mille dieux contemplent le pèlerin dont la marche promène tout le vide qui leur manque.

C'était donc au printemps, dans les montagnes verdies. Sur la foi de sa robe de moine, Santōka fit pour la première fois l'expérience de la mendicité itinérante. Aux portes des fermes, les paysans remplissaient volontiers son bol d'une louche de riz cuit, avec une certaine indolence bougonne. Certains, plus empressés parce qu'ils soignaient chez eux un enfant ou espéraient le mariage de leur fille, lui offraient en sus une bonne rasade de bière et quelques pièces, de temps à autre. Peu orthodoxe sur ce sujet, Santōka acceptait sans façon la monnaie pour son tabac, le saké ou une chambre à partager à trois ou quatre, à l'occasion, les nuits de tourmente, dans les auberges des bourgs. Mendier n'avait rien d'humiliant, comme il l'imaginait du temps de sa jeunesse, on ne lésait personne et demandait peu de chose contre une bénédiction tirée du sūtra du Cœur ou des circonstances : juste une louche de riz cuit, un fruit de saison, quelques légumes. Dans son état, il se contentait de bien peu. Un poivron au déjeuner, un concombre au dîner (mais où cuire cette aubergine ?). Et d'ici à l'automne, s'il passait le cap, les forêts le ravitailleraient mieux qu'un village sinistré par les intempéries : baies, noisettes et champignons. Et puis il glanerait aux abords des champs et des vergers avec les parias et les enfants fugueurs. La faim d'ailleurs valait la satiété. Quand la faim creuse, même les roses font bombance.

Pour l'heure, le moine Kōho goûtait plus que tout à cette entière liberté d'aller où le bouddha sommeille, d'un temple à quelque sanctuaire enchanté, d'une caverne au fond de laquelle grelotter à la berge d'un lac ébloui de soleil couchant, toujours accompagné d'une foule de kami folâtres par les sentiers déserts. La solitude, quand on marche, démultiplie les ombres et invite chaque créature au dialogue, serait-ce un insecte ou la figure d'un rêve. Lorsqu'il attachait les brins de paille de ses sandales, un scarabée parfois l'observait. Autour de lui, tout était habité, tout chuchotait ou gesticulait sous les vents d'altitude. Dès qu'un pont se présentait, il ne manquait pas de l'emprunter : une déesse l'invitait à passer sur l'autre rive. C'est ainsi qu'il traversa les montagnes de l'île de Kyushu, loin de Kunamoto, en piéton égaré par son ombre. La rencontre du pèlerin aveugle, sur les bords fuligineux d'un volcan, lui avait donné l'impulsion de plus amples marches. Une fois toute frayeur du lendemain éteinte, le péril vous sauve d'une mort plus certaine.

Ainsi, quatre années durant, aguerri par l'adversité, parcourra-t-il Honshu et les îles principales avec une sorte d'émerveillement dépouillé. Les lettres accompagnées de poèmes qu'il adressait de loin en loin à ses amis de la revue *Sōun* reflétaient cette clarté de lune du renoncement, quand le sentiment de soi avec calme s'efface sous les pluies et les tornades de l'automne. Personne ne faisait attention au passant coiffé d'un dôme de bambou sous lequel s'élaborait, à peine audible, la chanson pauvre des pas perdus. Les lucioles s'allument-elles en plein jour ? Toujours entre deux temples ou deux sanctuaires, son bol de fer attaché à sa ceinture, Santōka croisa bien des convois funèbres, aussi vides de sens qu'une procession de nuages. Quitte à rallonger sa route d'une semaine ou deux, lui qui n'avait plus pour demeure que forêts et montagnes, il évitait les villes par dégoût de s'y perdre. Les rencontres de hasard le ravissaient en revanche, surtout après des jours de randonnée sans un visage à saluer. Sur l'île de Shodo, il passa une nuit d'été dans l'ermitage de son ami Hōsai, rare poète réduit en cendres l'année précédente. Le flacon de saké qu'il but à sa mémoire valait tous les florilèges. C'est en Hōsai qu'il avait dormi cette nuit-là, ivre de ses mots perdus. Le saké et la poésie faisaient bon ménage depuis qu'il avait fui tout logis. Assez souvent privé d'alcool, il goûtait à l'eau avec une même délectation. Les pèlerinages, au fond, n'étaient qu'un alibi de flâneur obstiné. Il allait visiter les temples, sachant qu'aucun n'égalait le mont Fuji ou quelque moindre montagne des mers intérieures.

Un soir d'hiver damassé d'étoiles, grelottant après s'être baigné de compagnie avec un macaque suspicieux dans une source chaude, il s'était traîné sur le chemin blanchi de gel, attiré par une rumeur de cascade. Parvenu devant le phénomène, la face noyée d'embruns, il but longtemps l'eau du remous avant de se coucher de tout son long un peu plus loin, étourdi par la faim. L'avalanche d'écume se déployait à flanc d'abrupt en cinq ou six immenses spectres convulsifs. Fasciné par cette danse où, dans une intarissable succession, s'incarnaient démons et déités, il s'abandonna vite aux délires de la fièvre. Au lieu des cinq fantômes, subitement, il vit apparaître Kh'anon aux multiples tournures. On sculptait absurdement des bouddhas de pierre pour envisager l'impermanence, alors qu'une cascade offrait à chaque seconde la vision sublime. La tête contre une borne moussue, Santōka admit que sa fin pouvait très bien être inscrite avant toute aurore dans cette solitude des montagnes aux pâles calligraphies stellaires. Mourir ne l'inquiétait pas ; il n'était qu'un mendiant entre lune et soleil. Le front en feu, il rabattit sur ses membres sa cape de coton rendue imperméable par la crasse. À cet instant, ce qui lui manquait le plus ne ressemblait en rien au miroir des jours – amour, libre sommeil ou relique d'adieu ! Née du soleil couchant, dans le tourbillon d'or des embruns, une vieille femme à la silhouette cassée s'approcha de lui à petits pas. Elle se pencha et toucha sa joue d'une main de glace.

— Relève-toi, lui dit-elle. Et récite-moi le sūtra de Kh'anon. Je remplirai ton bol si tu y ajoutes quelques mots de maître Dōgen.

Santōka obéit sans réfléchir. Vacillant, il débita la prière avec un tel ravissement que les ténèbres éteignirent les cimes d'ouest et les spectres de la cascade. Toujours à psalmodier, oubliant la sorcière, il s'aperçut à bout de souffle que sa fièvre était tombée et que la Voie lactée tournait au-dessus de sa calvitie. Quelle fraîcheur avait la nuit ! La lune sera mon auberge, se dit-il avec en tête les instructions de Dōgen : « Simplement s'asseoir, sans penser, insoucieux du corps et de l'esprit… »

De nouveau en route au petit jour, il se promit de remplir son aumônière de piécettes avant le soir afin de dormir sous un toit et de s'offrir un bon bain arrosé de saké et, sous la lampe, de consigner dans son journal les haïkus élaborés de mémoire pendant les heures de marche. À Miyazaki, quand il eut assez mendié par les ruelles, il acheta une carafe d'alcool de riz et prit demeure dans une auberge qui donnait sur la mer. Le bruit des vagues et la lumière dansante des fanaux comblèrent sa nostalgie. Un chat s'était faufilé par la fenêtre ouverte. Il le caressa d'une main tremblante. Voilà un compère idéal, sans passion affichée hormis son bon plaisir. Les chats aiment bien la compagnie des gens seuls. Il se souvint des maigres chasseurs nocturnes de Sabare, mais cette évocation l'emplit de mélancolie. Le reverrait-il un jour, son village natal ?

Quand la lune fut haute, en position assise sur

un futon loqueteux, il ramena aux distractions de l'instant présent sa rêverie, tel un filet de pêche qui s'emplirait d'ombrelles transparentes aussitôt diluées. Il s'employa pareillement à se défaire des apparitions du passé et des divagations du futur. Jambes croisées, il oublia jusqu'à son nom de moine dans le bercement des flots ténébreux. Cette nuit d'auberge passa ainsi, la colonne vertébrale en flèche, le regard dans le vague. Au petit jour, il comprit d'intuition quels trésors cachés pouvaient jaillir du vide. Il n'avait plus de craintes. Nul ne parle ni n'agit au seuil de l'autre rive.

Sans attendre, Santōka réunit son bagage et quitta le bourg endormi. Marcher, marcher d'une allure soutenue pour distancer le passé cruel, n'être plus soumis aux tortures de l'amour. Si tu m'oublies, le monde n'est plus, la mémoire étend ses déserts. Marcher sur les hauts remblais pavés de crânes – à chaque pas, un esprit y résonne ! Marcher au point que les pieds s'usent, jusqu'aux genoux, jusqu'à la taille, puis ramper vers le sanctuaire…

Après six longues heures à cheminer entre forêts et contreforts, il s'accroupit devant la vasque naturelle d'une source qu'une statue de calcaire façonnée par le vent et les pluies surplombait. Il y but avec délice, longuement, au creux de ses paumes. Sa mère s'était jetée dans un puits pour le dégoûter de l'eau pure. Aujourd'hui, il s'en délectait comme d'un saké filtré par les joyeux lutins des rivières et des fontaines. Dans une autre ville, quelques jours plus tard, après avoir contemplé chaque chute de feuille dans les futaies d'octobre, il se remit à mendier en profane, pour sa fiole de saké et le luxe d'un bout de tabac noir.

Dans ces années troubles, la police avait pris un certain aplomb ; plus exclusive qu'une tribu de singes, elle pourchassait tout ce qui ne ressemblait pas au macaque ordinaire. Ainsi lui interdit-on de mendier, même passivement. Il avait pourtant comme règle de ne jamais se placer deux fois au même endroit afin d'échapper aux marottes de l'habitude. Sans importuner quiconque, il déambulait, bol en main et clochetant par les rues et les places. Donner au renonçant était acte gratuit, l'obole ne payant guère l'humiliation faite à l'impécunieux. Jamais elle ne devrait sortir de la confidence de l'arbre, l'espèce de becquée entre deux mains dont l'une est l'oiseau et l'autre le nid. À rebours de cette restitution des miettes, la grâce eût été l'aumône absolue : l'offrande à la créature enfin délivrée ! Comme dans le pāramitā des perfections, l'autre rive atteinte à force de dons intimes…

En attendant, les policiers continuaient de le traquer ici et là. Il allait se résigner à demander asile aux bonzes d'un monastère de Kagoshima quand un solide colporteur chargé de maints balluchons le bouscula. Au moment même où Santōka, perdant l'équilibre, tombait à la renverse, l'individu défit d'un seul mouvement d'épaule ses dix courroies d'attache pour le secourir.

— Grand pardon à l'ours mal léché que je suis !

Et de sortir une gourde de saké qu'il lui enfonça dans la bouche avant d'en avaler lui-même une longue rasade.

— Dites ! reprit-il avec un fort accent coréen. Auriez-vous connaissance, par là, d'une auberge qui pourrait m'accueillir pour un prix modique, moi et mon barda ?

Santōka eut un geste las de dénégation en lui montrant du doigt les montagnes d'où il venait. Avec ses énormes lunettes de travers et son air ahuri, la tête décoiffée du moine sembla si drôle au colporteur qu'il proposa de vider le fond du flacon à la santé des libellules. Comme il n'en restait goutte, le colosse ramassa ses ballots et entraîna sa victime dans la première gargote assez large pour le recevoir avec son attirail. Assis à une table basse parmi d'autres consommateurs, ils burent coup sur coup trois flacons d'un saké local assez fort. À la table voisine, deux autres amateurs de bière de riz étalaient leur fortune entre bols et carafes.

— On pourrait prendre une chambre à plusieurs, suggéra un tailleur de pierre aux mains de craie.

— Il faudrait que je masse encore au moins cinq paires de pieds ! dit son convive dubitatif.

Le colporteur qui avait l'oreille fine leur proposa jovialement de s'associer pour l'auberge. Le masseur itinérant applaudit à l'idée. Après une nouvelle carafe scellant leur accord, tous quatre ne furent pas longs à trouver où dormir. Leurs bagages rassemblés au milieu d'une pièce humide, sous une ampoule électrique, chacun se coucha contre un mur. Les uns rattrapés par la mélancolie du soir en terre inconnue, les autres souffrant de l'estomac, le sommeil leur parut une rive inaccessible. De guerre lasse, on demanda au moine de conter des histoires. Santōka en avait lu quantité à la bibliothèque de Tokyo comme au temple Hoon-ji, mais la plupart lui étaient sorties de l'esprit. Il se souvint de la fourmi aveugle avec sa petite canne qui déclare à quelque bodhisattva en balade : « Ôte ton pied de sur moi et passe, puisque toi seul me tient en considération. » Le dos calé contre une cloison de bois, perdu dans ses pensées, le masseur itinérant s'esclaffa et partit à relater l'époque bénie où il travaillait pour le maître d'un temple d'obédience Rinzai. Son rôle était de masser les crânes des jeunes recrues tondus par de vieux moines bougons ainsi que les pieds de ces derniers : pour calmer le feu du rasoir des béjaunes et la méchante humeur des vétérans.

— C'est comme ça ! bougonna le colporteur.

On vend les enfants aux bonzes pour qu'on les tonde.

— Un jour que je massais le maître en personne, poursuivit l'autre, il me jeta, comme une pierre sur un chien : « La voie est sous tes pieds ! » D'un coup, je me suis rappelé avoir vu nos ennemis contraints à marcher sur la braise répandue des braseros. C'était en Mandchourie, bien avant que je sois masseur. Il y en avait un d'un certain âge qui ne se tordait pas de douleur, il marchait en souriant sur les tisons. Mes chefs m'ont demandé de l'abattre…

— Arrête de me peiner ! se récria le colporteur. Toute ma famille a été massacrée par vos soldats. C'est pour ça que je travaille chez vous maintenant, je vends des chaussures de soie coréennes et des sous-vêtements occidentaux à vos épouses, des hanbok masculins aussi. Il faut du choix pour être bien accueilli chez l'habitant.

— Assez de batailles et de tueries, le temps d'un bon somme ! déclara le tailleur de pierre par crainte qu'on abordât des questions plus fâcheuses.

Arguant que l'oreille se contente de l'éclat des mots, il éteignit l'ampoule, avant de lancer, en manière d'énigme :

— Où est-elle partie, la lumière ?

Dans sa torpeur, engourdi par la fatigue du jour et le saké, Santōka se réjouissait d'entendre se croiser et se décroiser ces voix changeantes. Il s'abandonna au sommeil, les mains ouvertes contre sa poitrine. Assourdies, les paroles des trois ambulants se perpétuèrent d'un rêve à l'autre, comme celles captées au bonheur des rues, quand on erre parmi les foules nonchalantes du soir.

Traverser d'un pas de myope le brouillard des montagnes, franchir le gué des bruines jusqu'à perdre tout repère. L'ombre du marcheur multiplie croirait-on sa fatigue. La douleur ne fait pas vraiment mal, elle creuse en vous un autre corps. À Dazaifu, assis sur le seuil du sanctuaire Temman-gu, Santōka dénoua les ficelles de ses sandales de paille sur des pieds ensanglantés. Un jeune moine qui aspirait au calme, les yeux brouillés de soleil et de désir, sursauta à cette vision. Sa robe battant au vent, il courut sans un regard vers les bâtiments d'habitation et disparut à l'intérieur. Tandis qu'il séchait ses plaies avec des feuilles de papier de riz où étaient calligraphiés quelques haïkus de son cru, Santōka se demanda s'il n'était pas temps d'aller visiter les tombes de son enfance. À ce moment, la terre se mit à trembler une fois de plus, très légèrement, et des nuées d'oiseaux de toutes espèces s'élevèrent des arbres et tournoyèrent en piaillant comme pour une oraison. Quelques minutes plus tard, après le retour des oiseaux sur leurs branches, le jeune bonze revint d'un même pas précipité, une paire de bottines de carton toilé en main. C'est en s'inclinant qu'il les offrit au mendiant avant de se détourner, le visage radieux.

Boitillant, Santōka repartit sans hâte par les chemins. Il marcha ainsi tout un été dans la compagnie des cigales, avec sur la tête un soleil identique. L'automne de l'année 1930, mémoire vivante d'autres saisons, mordit l'or des feuilles sous un ciel brouillé. Revenu par une sorte de distraction à Kumamoto, il revit son ancienne famille. Encore belle sous les fronces du temps, Sakino à peine surprise lui proposa sans désemparer de travailler au magasin d'encadrement. *Une illusion peut-elle exister ?*

Grâce à de maigres droits d'auteur, il put se louer une chambre dans une pension du centre-ville gérée par une curieuse personne au sexe incertain, drôlement vêtue d'un kimono en soie ocre tout avachi. Avec l'aide d'amis éditeurs, il s'était même lancé dans la publication d'une revue qu'il baptisa du nom chiffré de sa pension : *Sambaku.* Ce retour à la vie civile l'effrayait néanmoins. Sur les sentiers de montagne, dans les forêts profondes, courant les volcans, il avait pris l'habitude de s'acquitter en toute saison des devoirs de l'existence par un grand salut aux paysages. Les plus merveilleux l'attendaient, comme embusqués, pour s'épanouir et le vider un peu plus de l'encombrement du monde. Ce qui l'affectait tant à Kumamoto, à la réflexion, ce devait être les sourires de Sakino, laquelle s'activait à n'en plus finir au milieu des estampes, des vitres à découper et des baguettes de cadres. L'amour s'achève au mieux par des grimaces polies. Pendant ces heures d'atelier, il considérait son ex-épouse avec un fond de nostalgie déçue et une vague tendresse, plein de désarroi au souvenir du drame comique de leur union. Cette femme qui s'affairait sans états d'âme, il avait cru l'aimer autrefois, mais c'était un écureuil. Trois noisettes en héritage!

Un soir de saké, ivre à brailler sur la voie publique, le moine Kōho se retrouva pour quelques heures dans la cellule de dégrisement d'un poste de police, convaincu qu'il n'y aurait pour lui d'issue que loin des barreaux et des grillages des cœurs sédentaires.

De nouveau en partance pour l'instant présent, il connut bien d'autres paysages, passant d'un bras de mer à l'océan, face à l'horizon qu'un navire de guerre parfois défigurait. Les fièvres de l'hiver soignées par de longues immersions dans les sources chaudes ressemblaient assez aux épreuves de la canicule, une fois oubliées les alarmes sanitaires. À cinquante ans, Santōka ne s'appuyait toujours pas sur sa canne, simple instrument musical pour rythmer l'allure. Cependant parvenu à Ogori, un bourg haut perché de la préfecture de Fukuoka où professait un ami de la revue *Sōun*, la fatigue de l'âge ou le besoin d'écrire au calme l'inclinèrent à accepter la proposition de l'enseignant : il y avait une cabane à retaper, sur les pentes, avec un jardin sauvage et un verger. Grâce au secours de ses étudiants, elle serait vite remise en état.

— Et puis Ōyama Sumita, ton éditeur, et tous nos amis de la revue se cotiseront pour soutenir au moins le poète, puisque le moine crève de faim sur les routes.

Santōka se laissa faire. Restauré, son ermitage accroché aux abrupts lui convenait assez. Il le baptisa Goshu-an, en se disant que le milieu de sa vie penchait bien loin désormais, du côté de sa jeunesse. Plus solitaire encore qu'au temps du petit temple Mitori Kh'anon-do, il put constater combien on observe différemment la nature en casanier, face à quelque immuable panorama. Le petit jardin qu'il s'était plu à cultiver prit pour lui une valeur sentimentale, de même que la présence résolue des arbres à liège, des forêts de bouleaux et de bambous qui l'entouraient. Parfois, il se réjouissait d'avoir laissé derrière lui cette vie d'orages sans un éclair. N'était-il pas enfin libre ? Ne possédant plus, n'être plus possédé ! Au printemps, coquelicots et liserons faisaient de sa hutte une maison de poupée. Lorsqu'il se lavait, il pouvait contempler des heures l'eau grise du baquet entre ses pieds nus. Les soirs d'été, en l'absence de ceux qu'il avait aimés, les lucioles clignotaient pour lui seul dans les herbes hautes. Il se plaisait à étudier les déplacements et les guerres intestines des bestioles : guêpes, araignées d'eau, libellules, toutes semblaient vouloir imiter la lumière, atteindre un jour sa vitesse ! Crapauds, escargots et hannetons de leur côté vadrouillaient autour d'une flache ou pèlerinaient sans gêne aucune. Pourquoi lui évoquait-elle Saigyō, cette vieille grenouille maigrichonne qui l'accompagnait partout de son chant étranglé ? Et quelle force avait la rose nocturne – rien qu'un parfum à portée de main... Lorsque tombait la première feuille d'automne, c'est dans le sentiment que mourait une reine. Autour de lui, papillons et fleurs des haies jouaient à qui le plus longtemps vivra. Les chants des oiseaux, Santōka avait appris à les reconnaître aux fruits de saison. Vers la fin des beaux jours, il se montrait attentif à la dernière cigale, à son cri dans les branches qui semblait demander pardon. Et quand venaient l'hiver et la neige, il gardait en mémoire, frissonnantes, les frondaisons variées et les mille fleurs. Goshu-an le consolait des vies perdues et de la douleur d'aimer. Les saisons ainsi se succédaient, du vert au pourpre et de l'ocre à la rouille, en décors fidèles à son engourdissement d'ermite.

Ce matin-là, ébloui, Santōka s'aperçut qu'il manquait de bois et de charbon. Le froid l'ankylosait face au doux ensevelissement du jardin et des vergers proches. Chaque flocon hésitait, mais la neige pesamment retombait sur la neige. Calfeutré jusqu'au soir pour écrire et méditer, il entendit les croassements ponctuels des corneilles puis un appel plus aigu. Distinctement, on criait son nom. Il courut au-devant d'un homme de la ville qui pataugeait sur les pentes assombries en soutenant des deux bras son sac de voyage.

— Santōka ! soufflait d'une voix expirante Ōyama Sumita. J'ai bien cru ne jamais te retrouver.

Claquant des dents auprès d'un poêle où flamboyaient pommes de pin et bouts d'écorces, l'éditeur s'indigna que son ami pût accepter de pareilles conditions de vie. Quand ce fut l'heure de dormir, il ne cessa de trembler de froid malgré l'empressement de son hôte qui s'évertua à le protéger de son unique couverture et de son kimono, puis de tout ce que sa baraque contenait de matières couvrantes. Au matin, sous un amoncèlement de revues de poésie étalées sur lui comme des tuiles sur un toit, Ōyama Sumita à peine réchauffé découvrit Santōka assis comme la veille en position de zazen.

— Ah, mais tu ne peux pas vivre comme ça ! s'écria-t-il en se grattant le crâne. Dans le froid et la vermine !

— Les poux apportent un peu de chaleur quand il gèle.

— Tu devrais m'accompagner à Tokyo pour l'anniversaire de la revue *Sōun*, le mois prochain. Nous irions en train. Seisensui serait enchanté. J'ai lu sa préface à ton *Bol de mendiant.*

— Je m'y rendrai peut-être…

— Si tu partais aujourd'hui même, en marchant bien, tu ne manquerais pas le rendez-vous !

— Alors j'irai sûrement à pied. Marcher, pour moi, c'est vivre.

— Sur les pas de Bashō ! L'étroit chemin vers le Nord profond ?

— J'ai tellement mis mes pas dans les pas de Bashō, qu'un jour je le rejoindrai, je deviendrai Bashō. Tu sais, quand il est parti en pèlerinage revoir son village natal…

— Lui-même marchait dans l'ombre de Saigyō Hōshi. Tu te souviens :

> *L'ermitage de Saigyō*
> *doit être quelque part*
> *dans ce jardin en fleurs*

Sa canne toujours en avant, une ombre de bambou sur le visage, Santōka hésitait encore entre Tokyo et Sabare. Un marcheur aguerri n'a pas à craindre de s'engager sur une voie détournée, ni même de perdre une ou deux journées de voyage. Avant de partir, il avait brûlé tout ce qui l'encombrait, frusques et papiers divers, dans le poêle de son ermitage. Mais à la réflexion, au gré de ses errances, pourquoi ne pas revenir de temps à autre à Goshu-an ? On pouvait aussi, dans le plus grand détachement et sans regret du passé, s'unir longtemps à un paysage. Il irait à Tokyo pour l'heure, puisque ses amis l'espéraient. Les cendres de sa famille pouvaient bien attendre. Décidé à ne plus jamais se morfondre en remords, Santōka songea à Tsuru, sa grand-mère, qui avait la manie d'invoquer l'infortune du karma pour la moindre piqûre de moustique.

Sur les routes et les sentiers, comme à bord des coches d'eau, il rencontra tour à tour un évadé de prison qui voulut partager avec lui une belle truite saisie au vol dans un torrent, des enfants joueurs perchés dans les arbres, un grand bouddha de pierre recevant les pluies de glace avec le sourire, un bonhomme de neige si expressif qu'il ne fut pas étonné de le voir se démanteler sur un squelette d'épouvantail, des chasseurs de renards honteux à son passage, une pie veuve décidée à le traquer jusque dans l'autre monde, un homme au long nez qui, en souvenir d'Issa, lui montra le chemin avec son long nez…

Enfin approchés, les faubourgs se révélèrent si étendus qu'il crut s'être trompé de direction. Dans

Tokyo rebâtie, toujours plus vaste et plus haute, Santōka eut du mal à reconnaître la cité de sa jeunesse, hormis de rares vestiges restaurés par endroits. Même Seisensui, après la perte des siens dans le séisme, avait reconstruit de fond en comble sa vie intime. « L'espérance est un combat », s'était-il cru obligé de déclarer en lui présentant sa nouvelle compagne. À quoi bon se justifier de l'abandon et de l'inconstance dans un monde sans assise ?

Avant le printemps, il repartirait vers l'oubli des chemins. Il visiterait tous les temples d'Hiroshima, de Kobe et de Kyoto, franchirait dans la foulée les chaînes du mont Kiso, puis sans faute irait se recueillir sur les tombes des poètes, à Shikoku et dans la vallée d'Ina. Ivre de saké à en perdre toute mémoire le long des ruelles du centre-ville, la nostalgie de son pays d'enfance cependant le taraudait. « Je ne demeure nulle part », se répétait-il alors que ses pas l'égaraient dans un quartier de plaisirs. Des lanternes de papier à toutes les portes et aux étages jetaient des halos pourpres ou safranés sur les chalands. Des vieillards aux jambes nues vendaient de la bière et du thé noir aux filles. Dans sa robe de moine quêteur, cherchant l'issue à ce dédale, Santōka eut un succès inattendu. Les aumônes des prostituées remplirent son bol d'une pluie de billets de cinq yens à l'effigie de l'empereur. À quoi allait-il employer l'argent donné de si bonne grâce par toutes ces femmes ? L'idée germa qu'il pourrait en faire un usage adéquat, sinon convenable, en changeant de secteur. Trois ou quatre rues plus loin, adossée contre un mur, une fille encore jeune, un bras dans le plâtre, le considéra d'un air navré. Elle mordillait un porte-cigarette d'ivoire, les yeux cerclés de fumée bleue.

— L'amour, y crois-tu ? lui demanda Santōka.

Déconcertée, elle éclata de rire, finalement réjouie d'entraîner le moine dans une taverne où d'autres filles banquetaient. Derrière le comptoir, une ancienne prostituée nettoyait les casseroles – après tant d'hommes affamés. Elle tendit une étrange clef de bois à l'éclopée de la rue. Dans une chambre de l'étage, quand elle eut ôté ses vêtements d'une main leste, son plâtre prit d'énormes proportions qui contrastaient drôlement avec sa maigreur. Santōka avait déposé entre ses petits pieds nus tout l'argent de son tapin de renonçant. Dans la pénombre, maintenant allongé à côté de la fille, il l'entendit se moucher et soupirer.

— Alors qu'est-ce qu'on fait ? s'énervait-elle. Tu ne t'es même pas déshabillé.

Sans répondre, il prit sa main dans la sienne et ferma les paupières en s'efforçant de se remémorer les silences d'autrefois auprès de Sakino. Qui pourrait lui rendre la ferveur escamotée ? La fille aux hanches étroites, son plâtre sur le ventre, respirait avec difficulté.

— Ne pleure pas, lui dit-il. Avec moi, tu peux garder ton secret.

Il se souvint aussi des distances qui s'étaient installées par à-coups, toutes ces maladresses de l'habitude – et soudain, dans l'enceinte d'amour, la solitude de l'un ou de l'autre. Ce qu'avait été sa vie avec Sakino, qu'en restait-il, hormis des silences saccagés ?

Au moment de quitter les lieux, les filles encore attablées cessèrent leurs jacasseries et l'observèrent avec gravité, comme s'il sortait d'une oraison au chevet d'un défunt. Santōka avait pris sa décision, il irait sans tarder à Sabare avant d'être en retard d'une réincarnation. Tout pèlerinage mène au pays de naissance.

Son bagage alourdi par les pluies, le moine Kōho invoquait un bodhisattva protecteur qui, par insigne complaisance, vint s'asseoir dessus de tout son poids. Malgré les douleurs de l'âge, il allait d'une bonne allure à travers les grands paysages fidèles que la nuit subtilisait comme un décor de songe. Dans ces montagnes, seule la lune n'en était pas une. Amoureuse d'un épouvantail, la lune lui ouvrait les chemins. Santōka, privé de saké, s'endormait sous une couverture de papier, dans les recoins rocheux. La rosée l'éveillait mieux que la cloche des temples. Et tôt sur pied, il reprenait une marche cette fois guidée par le soleil, entre deux averses tuantes. L'hiver dernier, une pneumonie l'avait cloué des jours dans un lit d'hôpital ; il s'en était échappé, son bagage sous le bras, avec un sentiment d'intense fraîcheur et un cahier plein de haïkus. Esquiver la mort, c'est endurer une renaissance. Mais nul secours sur ces hauteurs et il toussait à s'arracher les poumons. Parti sans argent ni provisions, il n'avait guère l'usage de son bol d'indigent sur ces sites déserts. La faim, passé l'envie et ses tourments, tourne sans tarder en divagations. Il buvait longtemps aux sources pour remplir son ventre. Parfois, descendu sur les pentes habitées, il croquait un concombre ou une vieille courgette dans les sillons des potagers, désolé de ne pouvoir les acquitter.

Après bien des soleils pluvieux, sur la foi des bornes, il aborda des parages plus amènes où les cultures s'éployaient jusqu'aux brumes de marbre au front des sommets. Attiré par l'odeur de bois brûlé, il traversa un village de charbonniers où les plus jeunes lui manifestèrent une vague surprise teintée d'hostilité. Mais les anciens gardaient le souvenir des glorieux pèlerinages et furent heureux d'aider le moine en haillons. Sur d'autres chemins, après une nuit passée dans la paille d'une grange, sous le sabot d'une haridelle, il croisa des journalières itinérantes remontées des rizières et fut bouleversé d'entendre leurs échanges moqueurs.

Le dialecte de son village natal, il pouvait le reconnaître à cent lieues. Les jeunes femmes, tout étonnées qu'on pût prononcer le nom de Sabare ailleurs qu'à Sabare, lui indiquèrent la bonne direction.

Bientôt au bout des pentes, un pont de fer et de bois se présenta, d'une longueur presque irréelle. En le traversant, Santōka se laissa envahir par une foule d'impressions fugitives. De l'autre côté du pont, il aperçut les champs labourés parcourus de canaux et plus loin, la mer posée comme une serpe d'acier au ras des herbages.

Parvenu dans les hauts lieux de sa mémoire, Santōka ne reconnut à peu près rien. La demeure familiale des Taneda avait disparu, emportée par le feu, un cyclone ou quelque tsunami. Seuls l'autel de pierre et le puits maudit avaient réchappé à la destruction. Au village, nul ne s'élança vers lui en s'exclamant : « Shōichi est de retour ! » On le suivait des yeux avec mépris ou commisération. Raillerie suprême, des écoliers en uniforme dansèrent sous son nez en l'invectivant d'un « mendiant, mendiant ! ». Qui aurait pu reconnaître dans ce vagabond barbu et crasseux le digne héritier de la famille Taneda, à peu près annihilée ? Pourtant, une vieille tisseuse assise à sa porte, d'abord dubitative, finit par lui indiquer une fermette où vivaient une veuve et ses enfants. Étonnamment, celle-ci comprit aussitôt à qui elle avait affaire.

— Toi ici, Shōichi ? grommela-t-elle en le poussant à l'intérieur du logis. Mais qu'est-ce que tu nous veux donc ?

Les yeux agrandis, Santōka mit plusieurs minutes avant de distinguer les traits jadis si délicats de sa sœur cadette à travers le sacrilège des années.

— Ce que je veux ? Un abri et du riz pour une nuit ou deux. Je viens célébrer nos morts, puis je repartirai, heureux de t'avoir revue...

Un jeune garçon rentra peu après et fut tout déconfit de reconnaître le vagabond tout à l'heure houspillé.

— C'est ton fils ? demanda obligeamment Santōka. Il faut qu'il sache combien sa grand-mère était belle et instruite...

Le lendemain, avant même que le soleil fût levé, la veuve tout affairée crut devoir réveiller son frère d'un sommeil d'ivrogne, ébahie de le trouver en méditation dans son appentis.

— Pars vite ! lui dit-elle. Va-t'en pendant qu'il fait encore nuit. Je ne voudrais pas que les voisins te voient sortir de chez moi...

Le cimetière de Sabare dominait les toits de chaume des fermettes où s'entassaient les familles des journaliers. Son bagage sur le dos, le chapeau conique par-dessus, il s'y rendit tête nue pour mieux observer ciels et horizons. Balayé d'embruns, l'air vif était imprégné d'une odeur de charbon et de marée. Déjà l'aube se déployait en un éventail d'ombres diaphanes. Le soleil se leva sur les étroits monuments de pierre. Il retrouva sans mal le caveau de la famille Taneda malgré toutes ces rangées de nouvelles tombes. Guerres et catastrophes naturelles avaient sans doute grossi le cours naturel des décès. Sur la stèle, le premier des noms gravés était celui de sa mère ; suivaient ceux du frère cadet, de Tsuru, de son père, de Sen, la sœur aînée... Les noms des ancêtres se déchiffraient encore, à demi effacés, sur des tablettes de bois dur. Son regard errait sur les inscriptions, seule chose réelle entre les nuages et les cendres. Dans un coin, entre deux caveaux de propriétaires terriens, une tribu de statuettes vêtues de bouts de tissu rouge délavé recevait gaiement la pluie. Des brûleurs à encens, un moulin d'enfant aux ailes bloquées par la corrosion, un bac de fleurs pourrissantes... Même les tablettes funéraires étaient rongées par les vers. Santōka plissa les yeux, la face mouillée. Comme tout ce qui entrave le départ serre le cœur ! Entre les tombeaux, ranimée par l'averse, une feuille morte se déploya. Avant de quitter les lieux, balbutiant le sūtra de la Traversée de la nuit, il eut un coup d'œil circulaire sur les lointains montueux. Ces montagnes, tous ceux qui vécurent les avaient contemplées jour après jour – son père et sa mère, et Tsuru, et Jiro désormais sous terre.

D'un pas égal, sa canne bien en main, il descendit jusqu'à la côte, attiré par la rumeur. Îlots rocheux et barques oscillaient dans la lumière matinale. Il s'accroupit sur un tapis de coquillages, les lèvres closes et les genoux écartés. Face au large, le murmure de la mer suffit amplement à la conversation. Il demeura longtemps ainsi, enchanté du voyage hasardeux qui l'attendait. Les yeux dans l'écume, prêt à abandonner sans retour les spectres de Sabare, il ne pouvait se résoudre à se lever. Depuis son enfance, c'était toujours la même vague qui roulait à ses pieds ; entre elle et lui, quel était l'obstiné ?

Moi, Shōichi, dernier moine pèlerin en ces terres chancelantes, je marche sur les pas de Santōka depuis qu'une déesse m'a délaissé dans la saison froide.

L'hiver sans couleur
éclaire ton œil noir
rare nuit des neiges

Tout chemin semble étranger quand on évoque l'amour perdu. Par chance, les pieds gardent l'esprit et j'avance à bonne allure sous les cerisiers en fleur, dans les prairies gelées ou parmi toutes ces feuilles mortes venues d'arbres inconnus. Je marche dans un monde à l'usage de ceux qui se croient vivants. Dans mon bol de mendiant ce matin, rien qu'une poignée de riz cru – qui donc ira me le cuire ?

Ce pays n'est certes plus celui des samouraïs et des maîtres du thé. On croise partout des cohortes de marionnettes du karma en barboteuses de plastique, et les catastrophes s'accumulent malgré les masques hygiéniques dont s'affublent les excursionnistes. Cependant un regard de côté, vers les profondeurs marines, suffit à remonter le temps. Aux abords d'une forêt de bambous, voilà qu'une tribu de bonzes en robe violette surgit et me salue d'une seule tête, avec un vaste sourire. Une odeur de sel et de goudron s'épanouit bientôt dans un grand piaillement de mouettes. On aperçoit des tankers et d'énormes cargos parmi les jonques. *Là où le bleu de la mer est sans limites*, la pensée de Saori me bouleverse comme au premier jour. Pour être enfin libre, pour n'être plus souffreteux de son ego, il suffit d'aller de biais et sans but, le plus loin possible, ainsi que l'enseignait mon maître :

Mouillé par la rosée
dans cette direction ou une autre
je marche

Que je vive ou meure, est-ce que cela concerne un instant les variations aléatoires du paysage ? Un vol de goélands mêlé à l'écume du ressac m'évoque d'autres vers, ceux-là de maître Dōgen, il me semble…

La neige efface chaque brin d'herbe
en sa propre apparence s'enfuit
le héron blanc

N'étant personne, à force de cheminer dans ses pas, je suis moi-même devenu Santōka. Le voilà justement qui me précède, titubant de fatigue et d'ivresse. Il le sait bien, lui, qu'il n'y a rien à monnayer ni à convoiter sur cette terre, serait-ce la vacuité. Plus dépossédé qu'un facturier du néant, il a franchi la barrière des nuages. Et il marche sans rien attendre sur les brisées de Bashō en suivant les sentiers du vent, heureux d'être en vie malgré ses dents qui tombent.

À la recherche de quoi ? pourrait-on se demander après tant d'années. À Daishoji inopportunément, au temple de Zensho-ji où son maître passa une nuit, il s'était endormi dans un jardin de pierres à rêver de délivrance. Couché avec la lune d'été, où poser la tête ? Au petit jour, chassé par les moines de service, ce n'était plus Santōka, mais Bashō ou l'un de ses disciples, ou bien encore Saigyō allant du fond des siècles vers des confins de neige.

Moi Shōichi, qui ne suis rien, j'ai pareillement marché sur les pas de Taneda Santōka, guidé par la mansuétude d'une déesse. Courant d'un temple à l'autre dans les replis des monts Kii, en direction de Shikoku, j'ai relu en pensée le roman vrai de Saori, l'unique amour et la seule espérance, disparue dans son apparence humaine il y a quinze ans et dix-sept jours. Les chutes d'eau sacrées de

Nachi résonnent dans ma tête. Réverbérés d'un autre monde, les chants d'oiseau me guident le long d'abrupts. Rien dans mon cœur n'a vraiment changé malgré les leurres et les faux lustres de l'oubli. J'aime Saori avec la même ingénuité qu'au grand jadis, du temps du Café Crépuscule. Mais dans une sorte d'effacement.

De toi à moi
quinze ans plus tard
à peine un vol de papillon

Les événements pourtant se sont précipités, les guerres, les catastrophes. Après celles d'Hiroshima et de Nagasaki, le désastre de Fukushima augure mal de l'avenir. En quête de ma bienfaitrice, vaille que vaille, je poursuis néanmoins mon chemin d'intempéries. Elle me disait : « Comme tu lui ressembles avec ton air embarrassé et tes yeux de hibou ! » Sur les talons du moine Kōho, mes lunettes de myope plaquées sur les orbites, je me suis peu à peu mis à l'école d'un héros de roman, le seul avec qui elle eût aimé vivre, bien au-delà des contingences. Mais je n'ai pas son génie, je ne possède rien et la jeunesse m'a fui avant que je sois vieux. Parfois un barbier me rase gratis et devient presque respectueux quand il découvre mes rides. Je marche sans boussole ; pourquoi aurais-je conservé ma montre cassée ?

Ainsi vais-je où le vent me pousse, à peine attentif aux météores. La pluie sur mon dos, et rien de plus que ce chemin. Si on me demandait mon nom, par grand mystère, je ne saurais quoi répondre. Shōichi n'est rien d'autre que l'ombre à peine vivante de Santōka. Inutile pour moi d'ouvrir le livre de Saori pour en relire les dernières pages : je peux les réciter à voix haute, comme s'il s'agissait de ma propre histoire.

Le ciel s'éclaire et la nuit tombe. La lune a toujours l'air de sortir du bain après la pluie. Sur les pentes, l'herbe haute frémit au vent comme mon âme perdue, désemparée. Où es-tu Saori ? Sa chair était de brume, ses yeux d'éternité.

Amour, libre sommeil
ou relique d'adieu
rien au miroir des jours

À l'arrière de la Datsun décapotable, brûlant de fièvre après une nuit à la belle étoile, Taneda Santōka savait que le professeur Takahashi Ichijun et son petit cercle d'amis l'accueilleraient sans façon à Matsuyama. Si ordinairement exclusifs et même jaloux, les poètes entre eux ne manquent pas de solidarité.

L'homme au volant s'était tu après une brève altercation tandis que sa radieuse compagne, tournée vers la banquette arrière, le menton posé contre son avant-bras, contemplait le vagabond éreinté avec un air d'infinie compassion. Mal en point, traversé d'une poignante impression de déjà-vu, Santōka considérait ce beau visage.

— Ne nous sommes-nous pas connus dans ce monde ou un autre ? demanda-t-il d'une voix expirante.

— Je rêve ! s'écria le chauffeur. Ce moribond te courtise comme un fils d'empereur !

L'automobile sinua sur les routes de montagne, ouvrant le ciel aux sommets. Transi après cette nuit de pluie et de rosée, le vieux moine souriait à l'immense visage d'arbres et de nuages que les yeux de la jeune femme par instant remplaçaient. Le paysage s'enroulait autour d'elle, théiers, jardins, champs de sorgho, forêts, sanctuaires, élévations de pierre et de brume.

— C'est bien à Matsuyama que vous alliez de ce pas, demanda ironiquement l'homme aux fines moustaches, l'index sur la cicatrice qui ornait sa joue gauche.

— Oui, la ville fortifiée, soupira Santōka en se redressant sur les coudes. Vous demanderez Takahashi Ichijun...

Déstabilisé par les cahots et les nombreux virages, il reposa sa nuque contre la banquette. Un léger vertige inclinait la mémoire à tourner elle aussi avec les horizons.

— J'ai tellement voyagé, soupira-t-il.

Un paysage d'herbes folles masquait la cabane de mendiant construite de bric et de broc, il s'en souvenait, tout près d'une source chaude où il allait baigner ses jambes, après l'écroulement de Goshu-an, son ermitage haut perché. Là, il avait cueilli chaque matin cette rosée d'étoiles avec laquelle s'écrivent les haïkus. Un sixième recueil venait de paraître, ainsi qu'une petite anthologie dédiée à sa mère. Froide solitude! Jamais plus il n'avait pu s'ancrer quelque part malgré tous les efforts de ses amis de la revue *Sōun* dont il espérait retrouver certains, à Matsuyama. Les poètes de la Société du Kaki se réunissaient chez Takahashi pour leur colloque de saison. S'il n'était pas tombé d'épuisement la veille, c'est à pied qu'il aurait aimé les rejoindre. Marcher figurait pour lui le mouvement même de vivre. Avant de repartir sur les pas de Bashō, l'an passé, il avait fait place nette, brûlant une fois de plus la paperasse et les guenilles accumulées. Les cendres ressemblent aux cendres. Combien de tombes chantantes aura-t-il visitées sur les cinq îles !

— Ralentis un peu aux virages, supplia Saori. Tu malmènes notre passager…

— C'est exprès! lança son compagnon. Pour pas qu'il s'endorme et meurt dans mon auto !

À l'écoute du bruissement d'eau des pneus, Santōka songeait à l'étroit chemin, à la région de Shinaro, aux contrées du nord, à tous les haïkus noyés sous les vagues de l'ivresse. En aurait-il écrit un seul d'inoubliable ?

Qu'y faire
sur mes contradictions
le vent souffle

Son ultime recueil, vieux corbeau déplumé, s'achèverait avec sa vie. Il y méditait du fond d'impressions anciennes. Composer un haïku était toutefois un acte de présence, aussi absolu et fragile que l'instant. Mais on ne construit aucun monde avec des haïkus. Ce 10 octobre 1940, il admit n'être certainement pas le seul, sur cette planète en feu, à s'étonner d'avoir à disparaître un jour.

L'automne lumineux embaumait aux abords de Matsuyama. Les feuilles qui tombaient autour de lui s'efforçaient de faire le moins de bruit possible. Au cœur de cette splendide agonie végétale, il se souvint d'autres automnes « dans ces hautes montagnes aux sous-bois profonds », à cheminer sur les nuages jusqu'au domaine du fleuve Mogani, en regard des îles neuves, sur la montagne bleue où les ruines des sanctuaires abritent à jamais l'Ermitage d'illusion. Sur les flancs du mont Katsuragi, le visage du dieu des cimes lui était apparu parmi les fleurs, aux deux aurores. Cette année-là, sans autres ressources que les oboles, il avait parcouru la moitié de la grande île sans trop encore s'appuyer sur sa canne, toujours un peu ivre d'un saké aigre de vagabond. Perdu par les sentiers, il avait souvent été réduit à sucer des racines. Même les boutons d'or valent leur poids d'or quand on a faim ! Certaines nuits d'été faméliques, quand la Galaxie tournait sur sa lanterne, il avait bu à petites gorgées l'eau saumâtre des rivières, croyant ainsi dîner. Ah, ce reflet de lune dans son bol, comme un supplément de soupe ! À la fin de la belle saison, en rendez-vous de mémoire dans un cimetière marin du nord-est de Honshu, par un jour de grande marée, il avait pu voir de ses yeux la tombe de son ami Ishigo décrocher de son assise et glisser comme une jonque vers le large. Au même moment, en formation du côté des montagnes, les oies sauvages parurent lui désigner l'ailleurs infranchissable. Les pluies d'automne avaient effacé les sentiers. Le ventre creux, il s'était résolu à piller un verger des coteaux, mais certains poiriers têtus donnent plus de chenilles que de fruits. Santōka ne récolta ce jour-là que des impressions, un marron dans sa bogue fendue comme un cœur de brigand, l'épouvantail ouvrant sous l'averse son grand livre de paille, une truite qui médite à contre-courant, l'œil bleu de la libellule où se reflète le ciel et les montagnes, la pleine lune enfin dénombrant une à une les feuilles jaunies avant qu'elles ne choient.

— Monsieur Santōka ! souffla une voix inquiète. Réveillez-vous ! Nous voilà sous les remparts de Matsuyama.

Ses paupières battirent tout contre le mystère bleu nuit de l'azur. Était-ce le printemps déjà ? En s'inclinant, il aperçut un balayeur appuyé sur son manche devant un tas de feuilles mortes. Puis, seulement alors, les yeux d'eau de la passagère. Il s'efforça de lui rendre son sourire.

— Seriez-vous une messagère de Kh'anon, la bien nommée ? Dans ce cas, merveille du monde, c'en est bientôt fini de moi...

— Non, non, très cher Santōka ! La simple lectrice que je suis vous le déclare : vous entrerez vivant dans l'immortalité...

— Comme les momies des grottes de Chanta Kaï !

Le chauffeur s'était rangé le long d'une muraille. Adossé contre le capot de sa Datsun, il fumait une cigarette anglaise, l'air impatient. Lorsque, plus tard, sur la route nocturne du retour, il chercherait à rompre le silence, un peu honteux de son comportement discourtois, la jeune femme poserait la tête sur son épaule.

— Ne t'en fais pas, lui dirait-elle sans doute en riant. Tout cela sera écrit un jour et appartiendra à la légende...

— À quelle légende, Saori ?

Non, elle ne répondit pas, surprise par une pluie

subite sous un ciel sans nuage. De quelle lune voilée, cette averse d'automne? Santōka en eût sûrement fait un haïku, ou Takahashi Ichijun qui venait l'heure d'avant d'accueillir son protégé avec tout l'empressement d'une amitié admirative. Bercée par le ronronnement du moteur, la jeune femme imagina sans mal, à sa façon peut-être abusive et tendrement usurpatoire, cette nuit d'octobre qui s'annonçait dans la maison du professeur…

Les membres de la Société du Kaki étaient déjà installés autour de tables basses dans la salle de réception du rez-de-chaussée. Accourus de loin, quelques-uns avaient dormi chez leur hôte et, plus confiants des lieux que les nouveaux venus, se promenaient parmi les chrysanthèmes, dans le jardin borné d'érables rougeoyants où trônait une statue de bouddha en pierre friable si bien usée par les pluies qu'elle n'était pas loin de rejoindre la sublime vacuité. D'autres invités, vaguement assis en lotus, palabraient depuis des heures autour de braseros dans l'attente des retardataires. Quand le couple de citadins vêtus à la mode de Londres vint déposer le moine Kōho en déconfiture sur le seuil du vestibule ouvert de la grande maison de bois noir, il y eut un moment de stupeur. Mais très vite on reconnut le poète derrière ses lunettes d'homme-grenouille et les cris de joie fusèrent.

— On ne t'espérait plus, s'exclama Takahashi Ichijun, tandis que les propriétaires de la Datsun saluaient en s'éloignant à reculons.

Santōka s'était laissé entraîner, à demi tourné vers sa bienfaitrice. Lorsque le véhicule démarra, elle lui fit signe des deux mains et il lui parut que ses yeux brillaient de larmes.

Une fois à l'intérieur du pavillon, ses jambes amaigries ne le portèrent plus. Taneda Santōka se laissa choir comme une marionnette dont on abaisse les fils. Assis en tailleur, il reconnut alors, outre les amis vieillis de la revue *Sōun*, son fidèle éditeur Sumito qui depuis des années aspirait à rédiger sa biographie. Est-on si près de connaître quand on aime ? En kimono de cérémonie aux couleurs de Kyoto, l'épouse et les filles d'Ichijun apportèrent des carafes de saké et maints petits plats. Diverses effigies de Çakyamuni ornaient les murs ; une autre en bronze patiné présidait l'assemblée à hauteur d'homme. Un beau chat angora se promenait, la queue ondulante, entre la statue et les convives. Le souffle plus fragile qu'une chandelle en plein vent, Santōka tentait de reprendre assise en buvant coupe sur coupe du meilleur saké. L'air inquiet, Sumito leva un toast à son auteur :

— Au maître de la simplicité native, à l'enfant naturel du haïku, à notre vagabond miraculeux !

Tout le monde acclama cette surenchère et les coupes ne désemplirent plus. L'alcool aidant, distrait par les mots d'esprit d'un vieux critique littéraire, on négligea le moine Kōho. Par défi, un tout jeune poète, qui ne perdait pas des yeux la fille aînée de la maison, se leva pour déclamer quelques vers de son cru :

Ne suis pas le mendiant, papillon
son chemin
ne mène nulle part

Plusieurs voulurent ajouter leur perle au vain collier sous l'œil féroce des anciens. La soirée, d'une rare douceur pour la saison, frémissait d'une vie secrète au-delà des panneaux entrouverts. Grillons et étoiles semblaient crisser d'un identique éclat. Une odeur sucrée de foin et d'herbes se mêlait à l'encens des autels. Les lueurs pourprées du couchant irisaient les porcelaines et les statuettes de verre de l'autel familial.

Tout à fait ivre, Santōka perdit vite le compte des adeptes du petit cercle poétique : visages et voix s'interchangeaient sans autre dommage avec les absents et les morts. Il crut entendre les trépassés, tous ses amis disparus, mêler leurs paroles à ces conciliabules. En vérité, il ne sentait plus ses membres, de lancinantes douleurs le poignaient dans la région du cœur dès qu'il bougeait un bras. Pris de malaise, il se traîna le plus discrètement possible dans une chambre attenante après avoir écarté du bout des doigts les panneaux coulissants. Seule à l'avoir vu, l'épouse du maître de maison s'était empressée.

— Vous vous sentez mal, c'est trop de saké, allongez-vous donc là, sur le tatami.

— Il faut d'abord que j'écrive une lettre, marmonna Santōka.

Pleine d'égards, elle aida le vieil homme à s'installer devant le secrétaire d'Ichijun et plaça à sa portée tout le nécessaire d'écriture avant de se retirer.

Immobile, considérant l'encrier en forme de petit singe que chaque usage décapite, Santōka parut s'endormir un instant sous la lampe, la tête inclinée contre ses bras croisés. Il trouva cependant la force de se redresser et de poser la pointe d'une plume sur la feuille de papier.

« Mon cher amour », commença-t-il. Mais à qui s'adressait-il ? Il ne savait plus. À sa mère plus belle que l'oubli, à Sakino, à l'inconnue aux yeux de déesse ? Tout lui échappait, la mémoire, les visages – qu'avait-il donc vécu de si réel ? Demain, après la réunion de la Société du Kaki, il se retirerait pour le dernier voyage dans un sanctuaire de paille, *jusqu'au seuil des seuils*. D'abord, il lui fallait absolument rédiger cette lettre. C'était pour lui une question de vie ou de mort…

Nous ne nous reverrons plus sur cette terre ni sur aucune autre. Quand tout s'effacera, au moins aurai-je un instant l'immense joie de te savoir vivante dans le soleil. Mon existence sans toi n'aura été qu'un chemin d'errance. Je vais disparaître en serrant tes mains vides contre mon cœur. Nous nous sommes tellement aimés que j'ai du mal à mourir. Ce n'est pas grave. Une fois les jardins desséchés, elle cessera cette douleur d'aimer. Mais salut à toi, salut ! Il faudrait toujours se dire adieu sur un « je t'aime ».

Avant d'avoir pu signer, Santōka s'affaissa sur l'épaule droite avec le sentiment qu'il manquait quelque chose, un nom ou une adresse. Son coude avait renversé l'encrier sur les derniers mots. Ce haïku noyé, qui jamais s'en souviendra ? Il se laissa choir tout à fait. De l'autre côté des portes, son frère dépendu lui racontait des histoires. Ses petites sœurs criaient d'une voix aiguë. Quand il faut trépasser, les cris des enfants ressemblent à ceux des hirondelles. Sa mère noyée ne le berçait plus. Poète ou philosophe, puis papillon des champs, il le retrouvera bien un jour son village natal ! Comme la rosée d'une nuit sous le ciel étoilé. L'écho de son nom résonnerait à nouveau avec le coucou. Maintenant, il allait mourir et, en toute logique, les grillons chantaient. N'était-il pas l'un d'eux ?

Une comédie douceâtre se perpétuait à proximité ; on se récitait des haïkus chez les vivants. Les voix de ses compagnons de chimère lui parvenaient déformées, presque d'un autre temps, chacune semblait s'adresser cruellement à lui. « Qu'on m'arrache les yeux devant ces fleurs mourantes ! » lançait l'un, tandis qu'un autre prétendit marcher sur des têtes de mort :

À chaque pas
un esprit sonne le creux

Taneda Santōka s'allongea de la nuque aux chevilles sur le tatami. Maintenant tout pouvait advenir. Un jour empereur et l'autre, violette ! Dans son vertige, mille vies défilaient. Un cheval hennit au creux des ténèbres. Il n'avait rien oublié des augures de pierres et d'herbes folles en travers des chemins. Un soir de tempête, il y a peut-être trois siècles, on lui avait offert la paille sous le sabot d'une vieille rosse, au fond d'une écurie remplie de mulots.

Dans la salle à côté, par coïncidence, une autre voix souleva des rires :

La mort, je l'ai connue
dit le petit rat
entre deux pièges à rat

À part le vide entre les choses, il n'y avait rien, pas un visage – hormis des culs-de-sac s'étranglant d'un coup. Santōka crut *rendre l'âme* et comprit son erreur juste avant d'expirer. N'était-il pas ivre mort et parfaitement apaisé ? Sa conscience s'éteignit comme la neige, par couches d'ombre dans une nuit sans lune.

CHEZ LE MÊME ÉDITEUR
Dernières parutions

Barzou ABDOURAZZOQOV
Huit monologues de femmes
traduit du russe (Tadjikistan) par Stéphane A. Dudoignon

Benny BARBASH
My First Sony
Little Big Bang
Monsieur Sapiro
traduits de l'hébreu par Dominique Rotermund

Vaikom Muhammad BASHEER
Grand-père avait un éléphant
Les Murs et autres histoires (d'amour)
Le Talisman
traduits du malayalam (Inde) par Dominique Vitalyos

Dominique BATRAVILLE
L'Ange de charbon

Bergsveinn BIRGISSON
La Lettre à Helga
traduit de l'islandais par Catherine Eyjólfsson

Jean-Marie BLAS DE ROBLÈS
Là où les tigres sont chez eux
La Montagne de minuit
La Mémoire de riz
L'Île du Point Némo

Eileen CHANG
Love in a Fallen City
Deux brûle-parfums
traduits du chinois par Emmanuelle Péchenart

Georges-Olivier CHÂTEAUREYNAUD
Le Jardin dans l'île

Chantal CREUSOT
Mai en automne

Boubacar Boris DIOP
Murambi, le livre des ossements

Pascal GARNIER
Nul n'est à l'abri du succès
Comment va la douleur ?
La Solution Esquimau
La Théorie du panda
L'A26
Lune captive dans un œil mort
Le Grand Loin
Les Insulaires et autres romans (noirs)
Cartons

HWANG Sok-yong
Le Vieux Jardin
traduit du coréen par Jeong Eun-Jin et Jacques Batilliot
Shim Chong, fille vendue
Monsieur Han
traduits du coréen par Choi Mikyung
et Jean-Noël Juttet

Yitskhok KATZENELSON
Le Chant du peuple juif assassiné
traduit du yiddish par Batia Baum
et présenté par Rachel Ertel

Andri Snær MAGNASON
LoveStar
traduit de l'islandais par Éric Boury

Marcus MALTE
Garden of Love
Intérieur nord
Toute la nuit devant nous
Fannie et Freddie

MEDORUMA Shun
L'âme de Kôtarô contemplait la mer
traduit du japonais par Myriam Dartois-Ako,
Véronique Perrin et Corinne Quentin

Daniel MORVAN
Lucia Antonia, funambule

R. K. NARAYAN
Le Guide et la Danseuse
traduit de l'anglais (Inde) par Anne-Cécile Padoux
Le Magicien de la finance
traduit de l'anglais (Inde) par Dominique Vitalyos

Audur Ava ÓLAFSDÓTTIR
Rosa candida
L'Embellie
L'Exception
traduits de l'islandais par Catherine Eyjólfsson

Makenzy Orcel
Les Immortelles

Miquel de Palol
Phrixos le fou
À bord du Googol
traduits du catalan par François-Michel Durazzo

Nii Ayikwei Parkes
Notre quelque part
traduit de l'anglais (Ghana) par Sika Fakambi

Serge Pey
Le Trésor de la guerre d'Espagne
La Boîte aux lettres du cimetière

Ricardo Piglia
La Ville absente
Argent brûlé
traduits de l'espagnol (Argentine) par François-Michel Durazzo

Zoyâ Pirzâd
Comme tous les après-midi
On s'y fera
Un jour avant Pâques
Le Goût âpre des kakis
C'est moi qui éteins les lumières
traduits du persan (Iran) par Christophe Balaÿ

Răzvan Rădulescu
La Vie et les Agissements d'Ilie Cazane
traduit du roumain par Philippe Loubière

Enrique Serpa
Contrebande
traduit de l'espagnol (Cuba) par Claude Fell

Rabindranath Tagore
Quatre chapitres
Chârulatâ
Kumudini
traduits du bengali (Inde) par France Bhattacharya

Ingrid Thobois
Sollicciano

David Toscana
El último lector
Un train pour Tula
L'Armée illuminée
traduits de l'espagnol (Mexique)
par François-Michel Durazzo

Abdourahman A. Waberi
La Divine Chanson

Paul Wenz
L'Écharde

Benjamin Wood
Le Complexe d'Eden Bellwether
traduit de l'anglais (Royaume-Uni) par Renaud Morin

Snapshots – Nouvelles voix du Caine Prize
traduit de l'anglais par Sika Fakambi